Breve historia de la Revolución rusa

BREVE HISTORIA DE LA
REVOLUCIÓN RUSA

Iñigo Bolinaga

nowtilus

Colección: Breve Historia
www.brevehistoria.com

Título: Breve historia de la Revolución rusa
Autor: © Iñigo Bolinaga

Copyright de la presente edición: © 2010 Ediciones Nowtilus, S.L.
Doña Juana I de Castilla 44, 3º C, 28027 Madrid
www.nowtilus.com

Diseño y realización de cubiertas: Nicandwill
Diseño del interior de la colección: JLTV

ISBN-13: 978-84-9763-278-2
Fecha de edición: febrero 2010

Printed in Spain
Imprime: Estugraf Impresores S.L.
Depósito legal: M-53020-2009

Para Amelia

Índice

Capítulo 1: Miseria imperial 11
    Un espléndido pastel podrido 11
    La masacre 22
    La escalera de Eisenstein 30
    El nuevo poder 42
    El parlamento de cartón 48

Capítulo 2: Una historia en rojo 59
    La nueva doctrina 59
    El hereje 70
    Bolcheviques y mencheviques 78
    La conferencia de Praga 93

Capítulo 3: Doble poder 101
    Cinco días de febrero 101
    La nueva estrategia 112
    Retorno a la clandestinidad 125
    La *Kornilovschina* 133

Capítulo 4: Asalto al Estado 141
    El laboratorio de la historia 141

La insurrección... 152
Califas por una hora 160
La implantación 173
El elemento externo 185

Capítulo 5: La hora del fusil............................... 197
Rojos y blancos.. 197
El partido mundial.. 207
La otra revolución.. 214
Comunismo de guerra..................................... 223
La gran sublevación 235

Capítulo 6: Los herederos 245
Cambio de rumbo... 245
El crepúsculo... 256
El legado 262

Bibliografía... 269

1

Miseria imperial

El obrero tiene más necesidad de respeto que de pan.
Karl Marx

UN ESPLÉNDIDO PASTEL PODRIDO

Cuando en 1894 fue proclamado emperador y autócrata de todas las Rusias, el joven Nicolás II estaba muy lejos de suponer que pasaría a la historia como el último zar. Rusia era aún una de las cinco grandes potencias políticas de Europa, y junto a Austria-Hungría y Turquía, un extenso Imperio plurinacional que ocupaba gran parte de la Europa del este. Las fronteras de la Rusia de los zares se propagaban desde la extensa llanura de Europa central hasta el mar de Ojotsk, en el extremo oriente asiático, haciendo frontera con naciones tan alejadas como Alemania y China. De norte a sur, los confines rusos partían desde el ártico para concluir sus límites en las tierras de los pueblos musulmanes de Asia central, aún trashumantes y muy lejos de la civilización europea. Los zares habían construido a lo largo de los siglos un Imperio de más de veintidós millones de kilómetros cuadrados; un gigante en expansión, tanto territorial como demográficamente hablando, que albergaba a ciento treinta millones de personas al principio del reinado de Nicolás II y a más de ciento setenta y cuatro millones en los años previos a la revolución. Si bien la mayoría de sus habitantes eran de incuestionable raigambre rusa, el Imperio cubría dentro de sus límites una enorme cantidad de territorios muy diversos, uniendo al carro ruso a más de doscientas etnias diferentes.

A excepción de casos raros como el de Finlandia, que gozaba de una amplia autonomía, las etnias y nacionalidades integradas en el Imperio estaban sometidas a una secular política centralizadora, uno de cuyos rasgos más definitorios fue la puesta en práctica de un implacable plan de rusificación cuidadosamente dirigido desde Moscú. Los pueblos culturalmente más coincidentes con los rusos —los eslavos europeos— fueron los que con más fuerza, junto con los caucasianos, rechazaron la aculturación. Polacos, finlandeses, pueblos bálticos, ucranianos, armenios o georgianos son solo un pequeño ejemplo de nacionalidades enfrentadas al dominio ruso que convertían al Imperio en una bomba de relojería presta a estallar en cuanto las pasiones nacionalistas se pulsaran todas a la vez.

Siendo un grave problema el del engarce administrativo de tantos pueblos y geografías tan diversas bajo el poder unificado de un solo zar, había más asuntos que merecían una atención de primera línea de cara a mantener la estabilidad y asegurar la permanencia del Imperio. La estructura del poder estaba desfasada; presentaba el típico esquema de antiguo régimen basado en un poder monárquico omnímodo, totalmente ajeno a los cambios políticos que en la Europa occidental habían terminado por desarrollar sociedades de democracia parlamentaria. Rusia estaba regida por una estructura cuasifeudal, en la que el noble era la autoridad y el dueño de las mejores tierras[1]. El

---

[1] Hasta 1861, los campesinos estaban adscritos a la tierra que cultivaban. La posibilidad de abandonarlas y buscarse la vida de otra manera estaba prohibida por ley. Cuando el propietario vendía o cedía determinadas parcelas de tierra de su propiedad, con ellas

campo seguía siendo, a principios del siglo xx, el sustento y único horizonte de más del 80% de los rusos, en su gran mayoría pobres hasta la miseria, analfabetos y profundamente supersticiosos. La vida en el campo no se había trasformado un ápice desde hacía siglos, manteniendo incólume uno de los presupuestos básicos de la economía de antiguo régimen: la agricultura de subsistencia dependiente de los nobles detentadores de tierras, a quienes el campesino debía tanto respeto y devoción como al propio zar, cuya imagen se representaba en iconos religiosos como la de un lejano benefactor. La vida del campesino ruso transcurría en los límites de la miseria, cayendo completamente en ella cuando las cosechas eran malas, ya que la parte del león de lo que producía desaparecía de sus manos en forma de impuestos, gravámenes o pago de deudas contraídas con el heredero del antiguo propietario de las tierras que trabajaban. El utillaje agrícola tampoco estimulaba la producción, habida cuenta de que se trabajaba con instrumentos que ya en la edad media fueron ampliamente superados por países como Holanda o Inglaterra. Además, cada campesino contaba tan solo con una pequeña cantidad de tierra para cultivar, seis veces menor a las hectáreas que se consideran adecuadas para garantizar la alimentación básica de una familia media, lo cual les hacía depender extraordinariamente de la comunidad, el *mir*.

La institución del mir ya existía antes de la abolición de la servidumbre, aunque fue a partir de entonces cuando cobró auténtico protagonismo en el campo,

---

eran también vendidos o cedidos los campesinos que la trabajaban. A partir de la reforma agraria del zar Alejandro II, abuelo del último Romanov, se abolió la institución de la servidumbre en el campo ruso, de forma que millones de campesinos ascendieron al rango de propietarios a costa de los nobles terratenientes que, sin embargo, retuvieron el control de las mejores tierras y engordaron sus bolsillos con gravosos pagos que el campesinado tuvo que pagar durante generaciones como indemnización.

siendo el beneficiario directo de las tierras que pasaron de propiedad nobiliar a campesina. La reforma de 1861 no dio la propiedad de las tierras a los campesinos individualmente, sino que se las quedó la comunidad para redistribuirla entre las diferentes familias, pagando estas una parte de los estrechos beneficios al mir, dinero comunal con el que se satisfacían los impuestos y los rescates a los nobles. El mir establecía las principales directrices económicas, como los frutos que se iban a cultivar cada temporada o la forma de hacerlo, recaudaba impuestos, reclutaba a los soldados cuando el gobierno se los reclamaba, deliberaba y autorizaba a los campesinos a la venta de su parcela de tierra y su traslado a las ciudades, etcétera. Era gobernado por un consejo de ancianos escogidos por los cabezas de familia y seguía una estructura muy conservadora, supeditada totalmente al gobierno. El mir, pues, seguía siendo una semisujección a la tierra que garantizaba la no afloración de un campesinado propietario y próspero, y que agudizaba la separación del mismo entre inmensas capas humanas miserables y un pequeño grupo de campesinos ricos, los *kulaks*, que acapararon el odio de la población rural. La crisis de subsistencias afectó varias veces al pueblo ruso, especialmente a principios de siglo, cuando la afluencia de productos extranjeros, mucho más competitivos y de mejor precio, causaron un efecto demoledor a la hora de sacar al mercado las cosechas del campo.

Como corresponde a una economía de antiguo régimen, la mortalidad infantil y la subalimentación eran el pan de cada día, manteniéndose estos en unos márgenes tan elevados que habrían producido el escándalo incluso en los países más pobres de la Europa de la época. En cuanto a la alfabetización, los campesinos adultos eran analfabetos casi en su totalidad, aunque a principios del siglo XX se logró escolarizar a cerca de un 30% de los niños y el 14% de las niñas, un éxito sin precedentes en la historia educativa de Rusia. Ninguno de ellos superaba nunca los estudios de primaria, siendo solamente los hijos de ciudadanos acomodados la exigua minoría que lograba acceder a estudios superiores. Estos afortunados solamente representaban el 1% de toda la sociedad rusa, y fueron el origen de la *inteligentsia* que aceleró dramáticamente el proceso de cambios que derivó en la revolución. La radiografía del ruso medio era la de un campesino pobre y analfabeto que no había salido nunca de su aldea, salvo casos muy excepcionales y a algún poblado limítrofe. Trabajaba con aperos desfasados y estaba profundamente sometido e influenciado por la iglesia. Sin embargo, los nuevos vientos modernizadores, las nuevas ideas democráticas e incluso socialistas y anarquistas comenzaban a soplar también, al principio con cierta lentitud pero cada vez con más fuerza, entre el campesinado ruso. A inicios del siglo XX la conflictividad rural y los ataques contra explotaciones y terrenos de nobles y *kulaks* se habían multiplicado exponencialmente, y si bien las rebeliones campesinas eran una cosa habitual en la vieja Rusia, a principios de siglo se multiplicaron por cuatro. La efervescencia revolucionaria, el hambre y el enfado de los campesinos por su insostenible situación de miseria eran un peligroso aviso para un zar que seguía dando la espalda a los problemas reales del país, dejando morir literalmente de hambre a sus súbditos mientras él prefería tomar clases de baile protegido por las paredes de su palacio real.

La liberación de la servidumbre y la proletarización del campesinado provocaron una gran afluencia de personas de origen rural a las ciudades, en busca de la tan ansiada mejora en su nivel de vida. Fueron empleados en la industria, que en pocos años había sufrido un enorme proceso de expansión. Los primeros años del siglo XX fueron testigos de un verdadero despegue del misérrimo tejido industrial ruso, que gracias a empréstitos y ayudas extranjeras hizo realidad el objetivo de ampliar su base industrial. El bajo perfil del capitalismo ruso y las inversiones occidentales hipotecaron más de lo razonable al régimen de los zares, transformando a Rusia en una economía dependiente que, sin embargo, hacía grandes progresos en los sectores textil, siderometalúrgico y de producción y transformación del petróleo. Esto provocó un rápido crecimiento urbano que propició el surgimiento de una figura que ya era muy común en la Europa desarrollada: el proletariado. En el caso ruso, un proletariado de nuevo cuño, poco cualificado, que sufría unas condiciones de trabajo draconianas por un salario ínfimo.

Rusia se pobló en seguida de enormes barrios obreros que circundaban las ciudades, repletos de chabolas en las que los trabajadores industriales y sus familias vivían hacinados como animales, en una especie de reproducción tosca de las novelas de Dickens. Tal situación de hacinamiento en aquellos misérrimos cubículos sin ventilación, generaba la expansión de enfermedades infecciosas que de forma periódica causaban trágicas mortandades en los barrios obreros. Los insectos, las ratas y la humedad eran compañía cotidiana, y la alimentación poco variada. Así pues, las condiciones de higiene y salubridad en general eran penosas, sin ningún tipo de garantía ni control sanitario. Todo esto derivó en la rápida expansión de las ideas revolucionarias entre un proletariado efervescente que estaba dispuesto a luchar por su dignidad, hasta la muerte.

La toma de conciencia del proletariado industrial ruso fue el origen del desarrollo de los primeros ensayos sindicales, que fueron brutalmente silenciados por el zarismo, disolviendo, prohibiendo y reprimiendo con fuerza cualquier conato de protesta tendente a mejorar las condiciones de vida de los obreros. El mínimo atisbo de asociación obrera o de reivindicación laboral era vista por el gobierno como una amenaza directa a su propia supervivencia, de manera que estaba dispuesto a eliminar de raíz la formación de un movimiento obrero fuerte extirpando desde sus orígenes cualquier tipo de asociación proletaria.

La autocracia que heredó Nicolás II interpretaba que el zar era el origen de toda soberanía. En consecuencia, Rusia no contaba con nada parecido a una constitución, ni partidos políticos, ni parlamento, ni prensa libre... El gabinete de gobierno era escogido por el propio zar a su gusto, sin ningún tipo de restricción o control, lo que lo convertía a los ministros en un juguete del capricho real. Junto al gobierno existía también un Consejo de Estado, cuyos componentes eran, por supuesto, seleccionados por Nicolás II, que se encargaba de aconsejar al zar sobre qué decisión tomar en cuestiones de diversa índole política, económica o internacional. El zar ejercía todos los poderes —ejecutivo, legislativo y judicial—, siendo meros comparsas los ministros, consejeros y altos cargos que lo rodeaban. El *César* —que es lo que significa la palabra *Zar*— era responsable de sus decisiones de gobierno solamente ante Dios, con el apoyo total de un aparato clerical potentísimo que pagaba los favores de la monarquía adoctrinando al pueblo en la obediencia. Además de la Iglesia ortodoxa, alrededor del zar verdeaba una gran pléyade de aristócratas y cortesanos que constituían, junto con el clero, otro de los pilares de la autocracia, con sus privilegios feudales tradicionales que aún no habían sido cercenados por ningún aire modernizador procedente de Europa.

Para hacer frente a los problemas modernos, el sistema solamente era capaz de aplicar recetas pasadas de moda, y por tanto ineficaces. La monarquía cerraba los ojos cuando le recordaban la perentoria necesidad de aplicar una severa reforma del sistema ante la amenaza de derrumbe de todo el complejo. El de Nicolás II fue un gobierno tercamente autocrático que se aferraba con uñas y dientes a la tradición absolutista heredada de sus antepasados, y que se preocupaba más de conservar su herencia que de hacer frente a los gravísimos asuntos a los que se enfrentaba el país. Los últimos zares, y específicamente Nicolás II, no querían darse cuenta de que la brillante fachada del Imperio escondía un interior podrido y amenazaba ruina. Pedía reformas urgentes que modernizasen tanto su estructura administrativa como la social y económica, y por supuesto la política. Pero el zar aplazaba *sine die* todos estos asuntos. El paso del tiempo no hizo sino emponzoñar aún más la situación, y el descontento popular comenzó a reflejarse en la multiplicación de las voces favorables a la transformación del régimen en algo parecido a una democracia parlamentaria, en imitación al sistema dominante en la próspera Europa occidental. Semejante propuesta nunca fue del agrado del zar, para quien una solución parlamentaria era una grave afrenta contra sus derechos y sus prerrogativas hereditarias.

El último zar no ha pasado a la historia por ser una persona brillante. Poco antes de ser coronado afirmó que no se sentía preparado para gobernar, y probablemente fue la frase más acertada que dijo en todo su reinado. Hombre educado en las rancias costumbres de los emperadores de Rusia, consideraba al Imperio como algo de su propiedad, al modo de los antiguos reyes absolutos de los siglos XVII y XVIII. Como tal, era inadmisible que pretendieran recortar sus poderes en sus dominios. Más aún, tal pretensión era una afrenta, una herejía. Se dice de él que era un hombre inseguro, y quizá esa característica le hizo marcarse como principal objetivo de su reinado el mantenimiento de su herencia tal y como la había recibido, para entregársela intacta a su hijo cuando le tocara reinar. Mantener el Imperio, los derechos y

La inmadurez de Nicolás II le empujó a preocuparse en exceso por conservar el legado de sus ancestros antes que someterlo a cambio alguno, lo que aceleró su caída.

prerrogativas del zar, del terrateniente de aquel enorme territorio, era su obsesión y en cierto modo su máxima aspiración en la vida. Su lema podría definirse como *conservar*. A toda costa.

Nicolás II confundía permanentemente el ámbito público con el privado. En su cabeza no entraba la idea de que el dinero que recaudaba en los impuestos pertenecía al estado y que no debía de sumarse a sus arcas personales. Tampoco pretendió nunca comprenderlo. Era un hombre del siglo XX encasillado en una mentalidad del XVII. La soberanía provenía del rey, no del pueblo. El zar era quien ordenaba todo, hacía las leyes, las promulgaba, era el gobernante único del Imperio y por supuesto, las rentas de los súbditos debían de ser unidas a su erario particular, igual que un rico hacendado haría en su hacienda. Para Nicolás el sistema había funcionado estupendamente durante siglos, de manera que no había razón alguna para alterarlo, lo que lo convirtió en un feroz conservador que se negaba a escuchar las ideas de reforma que a veces llegaban a sus oídos. La sola mención de la palabra *constitución* le causaba rechazo, y consideraba a los reformistas moderados como ladrones que pretendían quedarse con sus legítimas propiedades y prerrogativas. Desde su imaginario particular, el zar llevaba una solitaria lucha contra un mundo empeñado en arrebatarle lo que legítimamente le correspondía.

Sin embargo, soplaban vientos de cambio en Rusia. La obsesión de Nicolás de no abrir la mano ni un ápice reforzó las tendencias más radicales contra el sistema, y los actos de terrorismo alcanzaron un pico muy importante durante su reinado. El clima político impuesto por el zar se tornaba irrespirable dentro de una sociedad que pedía cambios a voz en grito, que era severamente reprimida por la policía y el ejército, y a quien se le venían cercenando unos derechos tan básicos como los del voto o las libertades de reunión y asociación. Aunque el zar no quería darse por enterado, Rusia ya había abandonado la edad media y dentro de sus fronteras comenzaban a aflorar partidos políticos asimilables a los de Europa occidental. Para Nicolás II esto no era más que una simple y pura coacción contra su poder, no un cambio aceptable para amoldarse a los tiempos de la mejor manera posible sin perder el carácter monárquico del estado. La ceguera política de Nicolás II no le dejó ver el hecho de que la monarquía tenía que haber aprovechado que los militantes de los partidos políticos eran miembros de la *inteligentsia*, hijos de las clases acomodadas. Las primeras reivindicaciones de la *inteligentsia* eran más que razonables, y si el zar las hubiera oído con cierta sensatez podría haber mantenido viva la monarquía, pero su política de mano dura no veía más que enemigos y conspiradores. Esto abocó a muchos jóvenes intelectuales a abrazar las ideas socialmente más avanzadas que llegaban desde el exterior, rompiéndose el país básicamente en dos líneas políticas: la de los liberales, que reclamaban reformas parlamentarias, constitucionalistas y que saneasen la economía sin poner en duda la autoridad del monarca; y la de los más extremistas, que propugnan un cambio radical en las estructuras de poder y de propiedad de la tierra en un sentido confusamente radical (social-revolucionarios o eseristas), marxista (Partido Obrero Socialdemócrata Ruso) o directamente anarquista[2].

El liberalismo ruso, tradicionalmente débil e inseguro, se había desarrollado más como una corriente de opinión que como un partido político *estricto sensu* en la Rusia de Nicolás II. De hecho, los partidos estaban prohibidos. No fue hasta 1905 cuando se formó un esbozo de partido que nació a partir de una organización liberal de contornos poco definidos, el *Movimiento de Liberación*. La nueva asociación política fue bautizada como Partido Democrático Constitucional, aunque popularmente era conocida como Partido Kadete, por sus siglas en ruso (KDT). Su principal reivindicación era la instauración de un sistema parlamentario para Rusia[3]. Por contraposición, los partidos situados más a la izquierda, a fuer de clandestinos, tenían para entonces unas estructuras más marcadas y definidas: El Partido Socialrevolucionario, conocido como eserista también por sus siglas (SR), era socialmente avanzado y partidario de los métodos terroristas. Reclamaba avances para el campesinado y los obreros, pero no era marxista; nunca llegó a los excesos radicales del Partido

---

[2] La Rusia decimonónica había tenido una gran tradición de oposición política anarquista al sistema de los zares, tanto desde el punto de vista teórico, destacando figuras rusas punteras del anarquismo como Mijail Bakunin o Pedro Kropotkin, como desde la dinámica revolucionaria, haciendo uso frecuente del terrorismo. Fueron muchos los representantes del *stablismenth* que en el siglo XIX y aún en el XX cayeron víctimas de los atentados anarquistas, el más célebre de los cuales fue el zar Alejandro II, asesinado en 1881.

[3] A partir del año 1906, de las filas del liberalismo surgió un nuevo partido, versión conservadora de los kadetes: la *Unión del 17 de Octubre*, conocidos como Octubristas por su apasionada adscripción a las medidas concedidas en octubre de 1906 por el zar que ya comentaremos mas adelante.

Socialdemócrata Ruso, muy influido por el marxismo y que será la organización común desde la que se darán a conocer los bolcheviques y los mencheviques.

LA MASACRE

Los graves problemas de los rusos no parecían afectar en lo más mínimo la amable vida cotidiana de Nicolás II. Como dueño único de aquella enorme finca llamada Rusia, había asumido desde niño que tenía la obligación de cumplir con el engorroso quehacer de asistir a las reuniones de sus ministros, meros administradores de la hacienda rusa, en las que se aburría espantosamente. El zar acudía sin falta a todas las reuniones ministeriales, se tragaba cumplidamente áridos informes llenos de números y previsiones económicas, y prestaba sus regios oídos a largas peroratas en las que se hablaba sobre los problemas de gentes muy alejadas de su mundo, tanto social como geográficamente. Una vez cumplido el desagradable trámite diario, consideraba que tenía todo el derecho del mundo a dedicar su tiempo de esparcimiento a la familia y a sus aficiones, entre las que no se encontraba presidir un gobierno al que, irónicamente, se aferraba con uñas y dientes[4]. Quizá el campo menos engorroso para el zar fueran las relaciones internacionales, asunto al que atribuía una enorme importancia y prestaba un interés fuera de lo normal. Para el zar, las relaciones exteriores tenían como único objetivo la glorificación del Imperio y de sí mismo, interpretándolas en clave de expansión territorial. Prestigio externo, eso era lo que el zar buscaba en la dilatación imperial

---

[4] Las lamentables descripciones que nos han llegado de un Nicolás II aburrido cuando despachaba con sus ministros, bostezando sin reparo y mirando la hora con fruición, son definitorias de un rey y un sistema político abocados al desastre.

asiática sobre pueblos menos desarrollados que el ruso, que eran asimilados sin demasiados problemas, casi siempre echando mano de un ejército fiel.

La conquista de nuevos territorios se basó en la ocupación de zonas pertenecientes a pueblos que, por desarrollo cultural, político y tecnológico, eran incapaces de hacer frente a la potencia rusa. El zar estaba acostumbrado a las victorias fáciles contra las naciones asiáticas. Así fue como, haciendo oídos sordos a quienes le recomendaban prudencia, aceptó la declaración de guerra que en forma de bombardeo masivo le regaló el naciente Imperio japonés: en febrero de 1904, los japoneses atacaron sin previo aviso a la flota rusa estacionada en Port Arthur (hoy Luyshun, China), bajo administración rusa desde 1898. La agresión suponía una consecuencia lógica del tira y afloja ruso-japonés que desde hacía años se estaba desenvolviendo en Manchuria por el control de aquella estratégica región. Los rusos, envalentonados después de haber logrado echar a los japoneses de la zona con la colaboración de otras potencias europeas, habían decidido que sería mucho más barato y sencillo construir el tramo final del transiberiano en línea recta, saliéndose del territorio ruso para atravesar Manchuria, lo que evitaba un largo y costoso rodeo por los lindes siberianos para llegar a Vladivostok. De rebote, este trazado integraría a Manchuria dentro de la zona de influencia rusa, obstaculizando los planes de expansión japoneses por el Asia Oriental. Los nipones no podían permitir la presencia rusa en la zona, y no lo hicieron. Tras tratar de llegar a varios acuerdos amistosos que el zar desdeñó, Japón sacó a los rusos de Manchuria a la fuerza[5].

---

[5] Nicolás II no concebía otra cosa más que el triunfo. Estaba convencido de la superioridad innata de los pueblos europeos y se reía de los prudentes consejos que le aseguraban que Japón había dejado de ser un pueblo *inferior*. En consecuencia, la guerra a la que tan alegremente se sumó Rusia esperando una fácil victoria se

La guerra contra Japón fue un rosario de derrotas. Muy lejos del supuesto fortalecimiento del ánimo patriótico que la conflagración parecía prometer, el depauperado pueblo ruso se soliviantó aún más. Por si no era suficiente desgracia la carga de tener que buscarse la subsistencia diariamente, las necesidades de la guerra cargaron un nuevo peso sobre las espaldas de la población, principalmente en forma de impuestos y levas campesinas que arrancaban del campo a la parte más joven y vigorosa de cada aldea para llevarla a luchar en una guerra que no comprendían. La marcha de los jóvenes supuso la falta de una muy necesaria mano de obra en el campo, lo que provocó un severo descenso de la producción y el lógico aumento de la situación de escasez y necesidad en las familias campesinas. Los gravámenes relacionados con la guerra en forma de impuestos y el alza de precios derivado del descenso de la producción cargaron aún más sobre la castigada población, que volvió a sufrir el hambre y una creciente crispación provocada por un justificado hastío popular ante la dejadez del gobierno. La oposición popular a una guerra que resultaba una gravosa carga, la incompetencia de los mandos militares con sus desfasadas armas y buques de guerra, netamente inferiores al moderno despliegue militar japonés, y las escandalosas derrotas obligaron al gobierno del zar a firmar una bochornosa declaración de paz que liquidaba la presencia rusa en la zona.

La paz se firmó en septiembre de 1905. Sin embargo, el fin de las hostilidades no fue suficiente para aplacar el enfado que los rusos sentían contra el

---

saldó con una severísima derrota. Era la primera vez que un pueblo asiático vencía a uno europeo. Para el zar, toda una humillación. Tras la victoria nipona en la guerra ruso-japonesa (1904-5), Rusia quedó eliminada del escenario chino y Japón pudo instalar su influencia con toda comodidad en Manchuria, base de su futura expansión imperial.

gobierno. Y es que ocho meses antes de la conclusión de la guerra se había dado el acontecimiento que supuso el punto de no retorno entre los rusos y el zar: el *Domingo Rojo*. Aquel día, los 200 000 hombres, mujeres y niños que asistían a una manifestación pacífica en San Petersburgo fueron masacrados por el ejército, que disparó a quemarropa contra la muchedumbre, con un resultado de 200 muertos y miles de heridos[6].

El suceso se produjo el 9 ó 22 de enero de 1905, dependiendo del calendario al que nos acojamos[7], y marcó un antes y un después en el devenir de la historia rusa. La fecha había sido escogida de antemano por Grigory Gapón, un sacerdote muy conocido en la ciudad de San Petersburgo por ser el líder y fundador de un sucedáneo de sindicato obrero denominado *Asamblea de Trabajadores Rusos de Fábricas y Molinos,* tolerado y estrechamente vigilado por la policía. La organización no pasó de ser una especie de club benéfico que reunía fondos entre los obreros para comprar y repartir productos de primera necesidad que eran distribuidos entre los trabajadores más desafortunados, además de organizar actividades sociales y educativas en las que cada vez participaba más gente. Sus objetivos se limitaban a intentar mejorar las condiciones de vida del proletariado, sin poner nunca en duda el sistema establecido. Gapón era un sacerdote conservador y como tal en su organización no debían tener cabida excentricidades políticas ni radicalismos

---

[6] La prensa de la época cifró la masacre en miles de muertos, dato que no parece corresponderse con la realidad, siendo una cifra más acertada la de doscientos. Todavía hoy en día existen obras de referencia sobre el periodo que aceptan el millar como dato correcto.

[7] El Imperio ruso organizaba el año según el calendario juliano, con trece días de retraso con respecto al occidental. Por eso, lo que ocurrió el 9 de enero en Rusia pasó el 22 del mismo mes para los europeos. La revolución suprimió esta diferencia en 1918, equiparando el calendario ruso al vigente en Europa.

de ningún tipo. Todo esto convirtió a la asociación de Gapón en un confuso conglomerado de personas y voluntades sin unos objetivos claros ni unas reivindicaciones definidas más allá de la mejora de vida del obrero medio. Sin embargo, la actividad desplegada por el primer gran *sindicato* ruso tolerado hizo que en poco tiempo su número de socios aumentara hasta los 8 000 que tenía en vísperas del *Domingo Rojo*, y que en su seno afloraran tendencias de todo tipo, incluidas las políticamente radicales que, a falta de un sindicato o partido socialista verdaderamente poderoso, comenzaban a dejar oír dentro de este sus reivindicaciones.

La organización de Gapón había sido tolerada por las autoridades, que razonaban que era más sencillo tener controlados a los trabajadores si eran encuadrados dentro de asociaciones obreras de corte religioso y conservador que dentro de organismos más *políticos*. La policía tenía fácil acceso al interior de las agrupaciones como la de Gapón; de hecho, parece demostrado que el propio Gapón fue, en algunos momentos, utilizado como agente por la Ojrana, la odiada policía política del régimen. De esta manera el gobierno se aseguraba de que los obreros no serían contaminados por ideas *nocivas* o *peligrosas* y que se les formaría dentro de un sentido religioso y de amor por la monarquía.

Gapón estaba honestamente convencido de que Nicolás II era un hombre cargado de las mejores intenciones, pero cegado por la perfidia de unos ministros que le ocultaban la realidad del país. El zar no hacía nada porque, argumentaba el sacerdote, ni siquiera podía imaginarse la situación real por la que estaba pasando su pueblo; pero en cuanto se superase la barrera de ceguera en la que le tenían encerrado sus ministros, sería el primero que se pondría manos a la obra para crear una nueva era de prosperidad y felicidad para todos. En conclusión, Gapón creía que la solución pasaba por presentarse ante el zar y entregarle en mano una carta haciéndole saber de las penurias del pueblo. Preparó un texto afectado en el que decía:

> Acudimos a vos, oh majestad, en busca de justicia y protección [...] Somos pobres; nos oprimen, nos cargan con un trabajo excesivo, somos tratados despectivamente [...] la muerte es mejor que la prolongación de nuestros insoportables sufrimientos.

Con semejante escrito pretendía tocar la fibra sensible del monarca, quien le habría de recibir en palacio ansioso por satisfacer las necesidades de sus súbditos.

En concordancia con sus pensamientos, Gapón informó de la convocatoria al ministerio del interior, dándole todo tipo de detalles sobre la marcha y solicitándole un permiso oficial para poder llevar a cabo la gran manifestación pacífica que confluiría ante el Palacio de Invierno, sede y residencia de los zares de Rusia. Tal permiso nunca llegó, y eso era un síntoma de que las cosas no iban a resultar tan fáciles como Gapón se las prometía a sí mismo y a sus afiliados. El viernes, el ministerio ordenó a Gapón la desconvocatoria de la marcha, amenazando con terribles consecuencias si se desobedecía la orden. Pero Gapón siguió adelante. La semilla de la duda empezaba a crecer en su interior. ¿Sería el ejército capaz de disparar contra el pueblo ante una manifestación pacífica que tan solo quería entregar un documento al zar? No, definitivamente Gapón no creía que semejante barbaridad fuera posible. Una bravata del ministro, nada más. Todo se habría de solucionar con la intervención del zar, sin duda a favor de los manifestantes.

La manifestación no fue desconvocada, lo que propició una creciente tensión ambiental a partir del día 7 del calendario juliano (20 del occidental). Haciendo honor a las advertencias del gobierno, el ejército fue desplegado por toda la ciudad de San Petersburgo y se colocaron carteles en las zonas céntricas de la ciudad con la severa advertencia de que si el domingo los manifestantes se presentaban ante las puertas de la residencia del zar, el ejército se vería en la obligación de disparar contra la multitud.

Llegó el día. La noche anterior había nevado y San Petersburgo se hallaba cubierto de un denso manto de nieve que dificultaba el tránsito. A pesar de los inconvenientes climatológicos, unas doscientas mil personas se sumaron a la convocatoria, confluyendo desde los barrios obreros de la capital hacia el centro, en dirección al palacio de Invierno. Avanzaban despacio, portando iconos con imágenes de Cristo, de la virgen, de santos rusos, así como grandes retratos del zar. Cantaban himnos religiosos. La manifestación fue sobrecogedora, tanto por la enorme afluencia de gente como por los respetuosos cánticos religiosos que hacían a los transeúntes santiguarse a su paso. Desde las principales arterias de la ciudad convergían oleadas de gente sobre el río Neva; pero al llegar a la vista de la residencia real, el ejército les cortó el paso. Doce mil soldados habían sido desplegados aquella noche para «*defender*» al zar de los manifestantes. La muchedumbre no atendió a las advertencias de los militares y se negó a disolverse. Cantaban ahora el *Dios salve al zar*, himno nacional ruso, como muestra de su adhesión al régimen y a su representante máximo.

Caminaban lentamente frente al palacio del zar, cada vez más cerca de los soldados que se interponían entre este y el pueblo. Inopinadamente, la caballería cargó contra la muchedumbre. La acción fue un último aviso de que las amenazas del gobierno no eran vanas, y logró dispersar a algunos de los manifestantes, pero el grueso continuó avanzando. Por dos veces los mili-

Manifestantes pacíficos caen bajo las balas del ejército zarista. Unas doscientas personas fallecieron en aquel aciago día que ha pasado a la historia como *Domingo Rojo*.

tares dispararon al aire en un último y vacío intento de dispersar a los concentrados. La siguiente tanda de descargas no fue al aire, sino directamente contra la muchedumbre, disparando sin discernir a menores de adultos. Hombres, mujeres y niños cayeron inertes al suelo, abatidos por las balas del ejército durante un largo y atropellado momento, hasta que la muchedumbre logró dispersarse atemorizada por la matanza que con tanta frialdad los militares habían ejecutado por defender al autócrata. En otros puntos de la ciudad también se disparó contra la ciudadanía, dando como resultado un número de muertos que, si bien se magnificó en exceso, no exime para nada al gobierno y a su cabeza, el zar Nicolás II, de la responsabilidad del crimen cometido. La noticia corrió de boca en boca hasta alcanzar el punto más alejado de la extensísima manifestación, alterando los nervios de sus integrantes que, aunque se hallaban en otras zonas de la ciudad, pronto confluyeron frente al Palacio de Invierno, increpando a los soldados por su criminal acción. Muchos ciudadanos no terminaron de creerse las noticias hasta ver con sus propios ojos los cadáveres tirados en el suelo.

Unas sesenta mil personas avanzaron encolerizadas y de nuevo se inició el tiroteo. Otra vez los ciudadanos fueron abatidos bajo las balas, quedando un montón de cadáveres tirados sobre la nieve roja, frente al palacio de un zar que nunca tuvo la más mínima intención de recibir a los manifestantes, habiéndose trasladado de víspera al palacio de Tsarkoie Selo, fuera de la ciudad.

San Petersburgo se convirtió en una capital en guerra. Los manifestantes más radicalizados montaron barricadas en las principales calles y avenidas y el ejército se desplegó por la ciudad dispuesto a apagar la rebelión a sangre y fuego. Sin embargo, los amotinados no tenían ni las ideas claras ni unos dirigentes a quienes seguir, y en pocos días las fuerzas del orden ya habían controlado la situación, ahogando en más sangre aquel enero de 1905. Pasado el trago, Nicolás II dio una nueva prueba de estupidez cuando, refiriéndose a los manifestantes, declaró solemnemente que «les perdono por haberse rebelado contra mí». El vínculo entre el zar y el pueblo estaba definitivamente roto.

LA ESCALERA DE EISENSTEIN

Los hechos de enero de 1905 despertaron una oleada de indignación en la comunidad internacional que se limitó a la tinta impresa. Las relaciones de las bienpensantes potencias occidentales no se alteraron en demasía por este hecho y pasados un par de meses las aguas de nuevo volvieron a su cauce. Sin embargo, para los rusos no era posible la vuelta a la normalidad. El zar les había decepcionado. No solamente no había sido capaz de detener la injustificada carnicería de San Petersburgo, sino que la había alentado, alimentado por sus temores irracionales a que la muchedumbre enloquecida le arrebatase sus muy queridas prerrogativas. Los campesinos pobres, educados en un ferviente respeto al *buen zar*, habían abierto definitivamente los ojos y ya muy pocos seguían viendo en su figura a un benefactor. La extinción violenta del motín de San Petersburgo que siguió a la matanza supuso un respiro momentáneo para un régimen que se negaba a reconocer que por ese camino tenía los días contados, y al mismo tiempo, la rápida propagación de nuevos conatos de rebeldía por todo lo ancho y largo del Imperio a partir del mismo mes de enero. Tanto en las zonas industrializadas como en las agrícolas se desarrolló una oleada de huelgas acompañadas por graves disturbios como nunca se había visto en el muchas veces convulso Imperio ruso. En todos los casos los ánimos eran aplacados con mano dura. La intervención habitual del ejército y los cosacos[8] en las labores de represión de las protestas convencieron a grandes capas de la población de que ese, y no otro, era el verdadero rostro del zar.

La oleada de motines dentro del inmenso territorio de la nación llevó a los ministros del zar a solicitarle la introducción urgente de reformas en el aparato administrativo. Ya ni siquiera los sectores acaudalados creían que fuera posible el mantenimiento incólume del sistema, pidiendo desde instituciones muy apegadas al régimen la introducción de cambios *cosméticos* que lograsen aplacar las iras del pueblo. El zar, sin embargo, no escuchaba.

El mismo mes de enero, según el calendario vigente en la Rusia zarista, se sucedieron importantes huelgas en San Petersburgo y las demás ciudades y

---

[8] Dentro de la estructura militar de los Romanov, los cosacos constituyeron una fuerza de elite de probada fidelidad a la corona imperial. Son un interesante ejemplo de cuerpos de ejército compuestos por miembros de un mismo grupo étnico.

núcleos de fuerte componente obrero como Moscú, Varsovia, Minsk, Kiev o los centros petroleros del Cáucaso, en solidaridad con las víctimas del *Domingo Rojo*. El mes de enero de 1905 fue testigo de la mayor huelga obrera hasta entonces vista en Rusia, con más de cuatrocientos mil trabajadores en pie de guerra, ya no exclusivamente en solicitud de mejoras laborales, sino esgrimiendo directamente consignas contra el zar. La política comenzaba a impregnar las huelgas y reivindicaciones proletarias.

Si bien las primeras proclamas políticas de los obreros continuaban manteniendo un tinte centrado en la mejora del salario y las condiciones laborales, los planteamientos políticos, como la solicitud de una asamblea constituyente, comenzaban a ser aireados con más confusión que otra cosa. Aun así, la proclama más enarbolada seguía siendo en negativo —«Muera el zar, abajo la autocracia»—, y uno de los mas decididos defensores de dicho lema no era otro que el otrora monárquico Gapón. Al sacerdote se le atribuye la frase «ya no hay zar», muy en la línea de un manifiesto que firmó días después del *Domingo Rojo* solicitando la unidad de todos para derrocarlo. La espantosa matanza de aquel día debió de dejar una profunda huella en Gapón[9].

La primera mitad del año 1905 estuvo jalonada de huelgas y motines, a duras penas reprimidos por un ejército y una policía que no podían estar en todos los sitios a la vez. Sin embargo, la falta de una autoridad revolucionaria que diera cuerpo a los tumultos evitó

---

[9] Llegó a entrevistarse con el mismo Lenin en el exilio, mostrándole sus simpatías por el bolchevismo. Sin embargo, el líder revolucionario nunca le tomó en serio. Por su repentino cambio de actitud con respecto a la autocracia zarista y su elementalidad intelectual, Lenin intuyó acertadamente que Gapón podría volver al redil monárquico tan fácil e inconscientemente como había salido. Efectivamente, el sacerdote fue de nuevo captado por la Ojrana y finalmente asesinado a instancias del partido de Lenin.

que superasen sus compartimentos-estanco para unirse en una sola huelga nacional que desbordase al régimen. Mal que bien, las múltiples huelgas pudieron ser sofocadas, aun a costa de muchas vidas. Las fuerzas del orden no parecían haber aprendido ninguna lección del *Domingo Rojo*. La tradicional receta de la mano dura no hacía sino incrementar día a día la enemistad de todo el pueblo contra el gobierno del zar, pero al menos aseguraba una paz momentánea. Durante este tiempo, la ley marcial fue decretada en todas las ocasiones en las que los disturbios, generalmente iniciados en los barrios obreros, se expandían a los centros neurálgicos de las ciudades, transformándose gran parte del núcleo urbano en zona de guerra durante días. Las fuerzas del orden combatían ahora contra un enemigo mejor armado y cada día más concienciado que lanzaba consignas como la aplicación en Rusia de libertades personales equiparables a las que disfrutaban por aquel entonces los ciudadanos de Europa occidental. La lección del *Domingo Rojo* y las luchas callejeras tuvieron, además, la virtud de aumentar en varios puntos el sentimiento de clase del proletariado ruso. Como apreció Trotski, un día había hecho más en el desarrollo de la conciencia proletaria en Rusia que un siglo entero de humillaciones y abusos indiscriminados.

Los estudiantes universitarios, miembros en su totalidad de clases acomodadas, también se unieron a la lucha espontánea contra el sistema. En su caso las reivindicaciones eran casi completamente políticas, transformándose las universidades en activos centros de agitación antigubernamental. La efervescencia política de los campus provocó varias veces la irrupción brutal de las fuerzas del orden, con el consiguiente efecto devastador de la imagen de la monarquía en los adinerados progenitores de los estudiantes. La mayor parte de las universidades del país fueron cerradas durante meses, suspendiéndose así las clases, pero también un importante foco de desestabilización para el gobierno. Los intelectuales exigían desde sus tribunas un inmediato cambio de rumbo so pena de un desplome completo del país. Al zar, sin embargo, lo único que se le ocurrió fue nombrar a una comisión de investigación para averiguar las razones del malestar de los obreros.

Si bien los conflictos urbanos fueron los más importantes debido a su influencia directa en las zonas más pobladas y dinámicas de Rusia, mucho más numerosos y extensos fueron los motines rurales. El campo estaba tan alterado o más que las zonas industriales y urbanas. Los levantamientos campesinos se habían multiplicado con respecto a otros años, hasta el punto de que en un solo mes de aquel agitado 1905 se dieron tantos casos de revuelta como los que hubo en todo un año de los anteriores. Los campesinos no contaban con la misma conciencia de clase que los trabajadores industriales, ni tampoco con una educación política que les diera la capacidad de ajustar sus acciones a unas reivindicaciones claras. Los disturbios agrarios representaban más bien la respuesta del colectivo humano más importante de Rusia ante el hastío y el hartazgo provocados por su situación laboral, económica, social y de vida en general. Dentro de la elementalidad de unas hordas incultas, las revueltas del campo se dirigieron directamente contra los nobles terratenientes y los *kulaks*[10], tomando por la fuerza sus tierras, violando las mansiones de los adinerados para desvalijarlas y luego devastarlas por medio del fuego y en casos extremos llegando a asesinar a sus propietarios. Como resultado de todo esto, la pira fue el destino de singulares obras de arte, antigüedades, bibliotecas

---

[10] Y contra cualquier cosa que les pareciera representante directo de su miseria, como las oficinas de recaudación de impuestos e incluso de correos.

enteras y vajillas de cristal de bohemia. Entre los años 1905 y 1906, el 15% de las mansiones de Rusia fue pasto de las llamas, víctima de las un tanto primarias iras de los campesinos. La solución, como siempre, la del palo. Sin embargo, la brutalidad ejercida por los soldados contra los campesinos, ordenada por el gobierno y animada por el propio zar, tuvo un peligroso efecto boomerang: las quejas campesinas eran comprendidas y compartidas por la generalidad de un ejército compuesto en su gran mayoría por rusos de extracción humilde y campesina. Los reclutas no comprendían la necesidad de emplear métodos tan drásticos contra gentes de su misma condición que perfectamente podrían ser sus padres, abuelos o hermanos, y muchos de ellos comenzaban a mostrarse reticentes a obedecer las órdenes de sus superiores. El antizarismo había tocado la fibra sensible de uno de los pilares sobre los que se sostenía Nicolás II. Una seria advertencia que el zar, como era de prever, no supo interpretar.

El 14 de junio ocurrió un hecho que simbolizaría más que nada la definitiva extensión y asimilación de las reivindicaciones populares dentro del ejército zarista. Se trata del famoso motín ocurrido a bordo del acorazado Potemkin[11] en aguas del mar Negro, inmortalizado en 1925 por Sergei Eisenstein en su película *El acorazado Potemkin*. El largometraje ha sido elevado al rango de hito, siendo reconocido como una

---

[11] La palabra *Potemkin* ha quedado para la historia irremisiblemente unida a la de la revolución bolchevique. Una curiosa voltereta de la historia habida cuenta de que el barco fue bautizado así en honor a Grigori Alexandrovich Potemkin, un importante aristócrata del siglo XVIII, amante de Catalina la Grande. Por esta razón, después de la victoria los bolcheviques renombraron al buque denominándolo con el más revolucionario y pomposo nombre de *Luchador por la libertad*. La película de Eisenstein colaboraría a inmortalizar al acorazado con su nombre original como mito de la URSS.

de las obras magnas de la historia del cine y uno de los más acabados ejemplos de propaganda política hecha arte. El motín en sí fue uno más de tantos que asolaron Rusia en el año 1905, y de hecho tuvo que ser sacado del olvido cuando Eisenstein decidió transformarlo en argumento para su película. A pesar de ello resulta verdaderamente significativo en cuanto que supuso la primera gran reacción de rebeldía de los militares contra el poder del zar. Como es bien sabido, el motín comenzó a raíz de una partida de carne agusanada que los marineros se negaron a comer. Los representantes de la marinería presentaron sus muy razonables quejas ante la oficialidad que, como respuesta, incoó un expediente disciplinario contra quienes se habían quejado. A fin de escarmentar a los demás, los cabecillas de la protesta fueron condenados a ser fusilados, lo que hastió definitivamente a una tropa que cargaba sobre sus espaldas siglos de desprecio y malas condiciones de vida por parte de sus aristocráticos oficiales. El grito de desesperación compartido por todo el pueblo ruso estalló de repente entre la soldadesca del Potemkin a causa de una carne agusanada que, por dignidad, los marineros se negaron a probar, pero podría haber estallado a raíz de cualquier otra cuestión. Ante el asombro de los oficiales, los marineros se amotinaron en defensa de sus compañeros, logrando controlar rápidamente la situación. La revuelta se saldó con la muerte del capitán, varios oficiales y uno de los amotinados.

Los marineros tomaron el mando del acorazado, y sin saber cómo, una improvisada enseña roja sustituyó a la monárquica. Era la primera vez que se izaba la bandera revolucionaria en un barco de la armada imperial, todo un símbolo cargado de significado. Mediante ella, los marineros del Potemkin reivindicaban su unión de intereses y objetivos con quienes, desde los cinturones obreros de las ciudades rusas, luchaban enarbolando la misma bandera, completamente roja, que ya por entonces era admitida como la más viva representación de la lucha de los oprimidos por su dignidad. El barco tomó rumbo a Odesa, ciudad que se hallaba inmersa en una colosal huelga que ya duraba semanas. Los trabajadores de Odesa controlaban la zona del puerto, y el Potemkin pudo entrar sin problemas arrullado por los vítores de los huelguistas.

La tripulación del Potemkin se puso inmediatamente a disposición del comité de huelga, aportando su pericia y el armamento del acorazado en la lucha de los trabajadores. Como agradecimiento y reconocimiento póstumo, los huelguistas acudieron en masa al homenaje que los marineros tributaron a su compañero fallecido durante el motín, depositando flores y recuerdos junto a su cadáver y ayudando a la marinería con algo de comida. Aquella noche los reforzados contingentes militares del zar alcanzaron el puerto, disparando indiscriminadamente contra la muchedumbre concentrada en las escaleras, velando el cuerpo del soldado caído por la revolución. El lector puede ahora cerrar los ojos y recrear la famosa escena de la escalera de Eisenstein para imaginar lo que vino después. Los ciudadanos fueron víctima del fuego de los zaristas, que disparaban desde el punto más alto de las escaleras contra una indefensa población que se vio obligada a bajar atropelladamente para huir del fuego abierto. La escena de la escalera es también un fantástico símil de la caída de la Rusia de los zares. Cada ciudadano muerto era un escalón más abajo para la popularidad del zar, uno más arriba para la revolución que acabaría por derrocarlo y finalmente, ejecutarlo; uno arriba para el odio del pueblo hacia el monarca y sus malquistos poderes de represión.

A la mañana siguiente, la paz de los cementerios envolvía Odesa. Las tropas y fuerzas del orden habían dominado completamente la insurrección y la ciudad de nuevo volvía a estar pacificada, pero un número desconocido de personas habían perdido la vida mientras Nicolás II se preocupaba de cuestiones tan importantes como consultar las previsiones meteorológicas, escoger las municiones adecuadas para su día de caza y elaborar la lista de invitados a una pequeña merienda campestre a celebrar la próxima semana. La frivolidad del zar llegaba a cotas tan inauditas que prefería ocupar sus pensamientos en este tipo de asuntos antes que cubrirlos con aquellas irritantes cuestiones políticas con las que le asaltaban de vez en cuando sus ministros. La extensión de los motines al otrora fiel ejército amenazaba directamente a los pilares del poder real, pero mientras tanto el zar se divertía.

El Potemkin logró zarpar del puerto de Odesa antes de caer en manos de las autoridades, poniendo rumbo a Constanza, Rumania, donde la marinería desembarcó y abandonó el barco. Las autoridades rumanas lo devolvieron al gobierno ruso, finalizando así la aventura del primer acorazado revolucionario de la historia.

El 19 de septiembre Moscú protagonizó las portadas de todos los periódicos de Rusia. Los empleados del sector de artes gráficas de la ciudad habían organizado una huelga en solicitud de las ocho horas laborales y determinadas mejoras en sus condiciones de vida. La huelga fue brutalmente reprimida por las fuerzas del orden que, en una huida hacia delante, se despacharon a gusto con los trabajadores, asesinando a un buen número de ellos. La indignación de los obreros de todo el país provocó una oleada de solidaridad en otros sectores de la industria y en otros puntos geográficos, extendiéndose la huelga de los impresores a todos los trabajadores de Moscú y en seguida a los impresores de San Petersburgo y de otras ciudades con fuerte presencia proletaria. Las protestas se estaban reproduciendo como la gripe y el zarismo

tenía que prepararse, una vez más, para achicar aguje-
ros o apagar incendios en varios puntos a la vez. Los
obreros lograron unirse superando regiones y sectores
laborales, dando así origen a la primera huelga general
que vivió Rusia y la que puso verdaderamente en
jaque a toda la estructura zarista. El punto de no
retorno se inició a partir de la entrada en la huelga del
sector de los ferroviarios, con fecha 20 de octubre. La
línea Moscú-Kazán fue la primera en quedar sin servicio, para extenderse con celeridad a todas las conexio-
nes ferroviarias del inmenso territorio ruso. El 16 de
abril todos los ferrocarriles estaban paralizados. Para
entonces los obreros de todos los sectores de Rusia
estaban ya en huelga, y junto con las barricadas y los
disparos cruzados entre huelguistas y fuerzas del
orden asomaban ya las reivindicaciones netamente
políticas, generándose así una conciencia común de
lucha contra la autocracia. Los huelguistas habían
paralizado Rusia, provocando una sensación de guerra
civil que fácilmente habría podido ser rentabilizada
por los marxistas si hubieran sabido hacerse con las
riendas de la huelga. Sin embargo, la izquierda revolucionaria rusa aún no tenía la suficiente fuerza ni la
madurez política como para instrumentalizar el movimiento huelguístico en su favor. La revolución estaba
huérfana de líderes.

Solidarizándose con los trabajadores y haciendo
caso omiso a los temibles cosacos y fuerzas del
orden, todo el país dejó de trabajar. No ya solamente
obreros o campesinos, sino médicos, abogados, estudiantes, tenderos, maestros, e incluso las prostitutas y
los actores y actrices del Teatro Imperial de San
Petersburgo. Rusia quedó en una situación de parálisis total. En las ciudades, los tranvías dejaron de
funcionar, se suspendieron el suministro de agua
corriente y el de la luz, los telégrafos y teléfonos
también fueron silenciados y las ciudades quedaron

desabastecidas. Un escenario fantasmal solamente roto por las manifestaciones endémicas que menudeaban en las ciudades y terminaban en batalla campal con resultado de heridos y fallecidos por la brutalidad policial y militar. Todos los partidos políticos, incluidos los más próximos al zarismo, se solidarizaron con los huelguistas, lo que animó al primer ministro, Sergei Witte, a hablar seriamente con el zar para ponerle las cosas claras: o se practicaban reformas con la máxima urgencia, o el sistema y con él el propio zar, estaban condenados a la extinción. Witte dio un baño de realidad al zar haciéndole ver lo crítico de la situación. Debía de hacer reformas, abrir un poco la mano al menos para tranquilizar a los sectores más conservadores, intentando así mantener un equilibrio de poderes a su favor y el restablecimiento de la paz social. A Nicolás II nunca le entró en la cabeza la conveniencia de las reformas, que se le antojaban una usurpación escandalosa de sus legítimos derechos como zar y una claudicación humillante. ¿Cómo se tomarían sus regios ancestros la ignonimia de ver recortadas las divinas prerrogativas del zar de todas las Rusias? Sin embargo, el oscuro panorama que Witte le pintó hizo mella en él como para, a regañadientes, tomar la que, según sus propias palabras era una «terrible decisión». Así se gestó el edicto imperial que se conoce en la Historia como el *Manifiesto de Octubre*. Publicado de urgencia, el manifiesto tuvo la virtud de lograr la desconvocatoria de la huelga general. Fue firmado por el zar con fecha 17 de octubre, sancionaba derechos como el de las libertades individuales, o los de reunión y asociación, y preveía la configuración de una *Duma* o asamblea representativa elegida por sufragio. Asimismo, preveía la condonación de las deudas pendientes de los campesinos, lo que los convertía en dueños legales de las parcelas que trabajaban. Como corolario de esta declaración de intenciones, también se decretaron una amplia amnistía y una ley de prensa relativamente permisiva.

El Manifiesto de Octubre fue muy bien recibido por los huelguistas y pronto el país volvió a la normalidad. Un respiro para el gobierno, que se había salvado por los pelos y una dura prueba para el incompetente Nicolás II, que aseguraba sentirse fatigado por tamaña claudicación. La principal reivindicación de los huelguistas, unánimemente asumida por todas las tendencias políticas, era la convocatoria de una asamblea representativa. La exigencia había sido aprobada y en breve iba a ponerse en práctica, aunque con las restricciones que luego veremos. La mayoría de los partidos políticos, a pesar de que inauguraban una etapa de legalidad y tolerancia hacia ellos y se felicitaban por el avance dado, no estaban satisfechos con unas libertades aún muy restringidas y concedidas *graciosamente* por quien ostentaba en monopolio la soberanía, el zar. Los kadetes rechazaron el manifiesto por insuficiente, y solicitaron la comisión de una asamblea que redactara una constitución. La cuestión, sin embargo, concitó desencuentros entre una mayoría de liberales partidarios de la medida y una minoría aún más conservadora que apoyaba las reformas del Manifiesto de Octubre, sin querer llegar más allá. Es por eso que fueron conocidos como los *octubristas* o el Partido Octubrista, siendo un apoyo constante del zarismo a partir de entonces. A pesar de todo, los intentos de Witte de incluir en el gabinete ministerial tanto a octubristas como a kadetes no surtieron efecto, y el gobierno se tuvo que conformar con enfrentarse en solitario a una oposición que todavía se presentaba firmemente unida.

El nuevo poder

Además de una apertura parcial del régimen, la huelga general de 1905 dejó tras de sí a un proletariado mucho más concienciado y organizado, capaz de mantener en uso los organismos de lucha proletaria aun después de la finalización del conflicto. Los revolucionarios más aventajados eran plenamente conscientes de que, sin la participación de los soviets o consejos obreros que se multiplicaron por toda Rusia durante la huelga general, los resultados habrían sido bien diferentes. Los soviets fueron la piedra angular de la coordinación que demostró el proletariado entre sus diferentes expresiones geográficas y sectoriales, actuando como un auténtico poder obrero. Tras la desconvocatoria de la huelga, la capacidad de influencia de los soviets era comparable, dentro de su ámbito, al del gobierno, constituyéndose como el germen de un poder paralelo.

Los consejos obreros rechazaron de plano el Manifiesto de octubre por considerarlo vacío. Sus reclamaciones llegaban mucho más lejos, y sus intenciones de derrocar el sistema eran más que notorias. De esta manera, los soviets, que habían surgido como simples comités de huelga, extendían su influencia y se mantenían vivos incluso después de la desconvocatoria de la misma, mostrando su vocación de permanencia como la voz oficial de los obreros frente al régimen. La institución de los soviets chocaba, pues, frontalmente con el zarismo y era consecuencia directa del sarampión aparentemente ya superado de tanta huelga en diferentes puntos del Imperio. Un «efecto secundario», llamémoslo así, que amenazaba con cronificarse dentro del cuerpo enfermo del zarismo.

A pesar de lo que muchos creen, el primer soviet no surgió en San Petersburgo, sino en Ivanovo-Voznesensk, una pequeña ciudad industrial de los alre-

León Trotski fue el líder indiscutible del soviet de Petrogrado y, en consecuencia, uno de los elementos revolucionarios más activos dentro de lo que ha venido a llamarse la *Revolución de 1905*.

dedores de Moscú. Este primer soviet aglutinó a representantes de todos los obreros locales y se erigió en portavoz y ejecutor de las luchas por mejorar el salario y la calidad de vida de los trabajadores, así como de la organización de huelgas y protestas varias, y constituirse en órgano de referencia en las relaciones laborales entre obreros y patronos. De comité de huelga pasaba a actuar como una especie de sindicato en el que todos los trabajadores tomaban parte. El ejemplo fue copiado y mejorado en San Petersburgo, el mayor centro de concentración industrial de toda Rusia y capital imperial. Como representante de la ciudad con el proletariado más efervescente de Rusia, el soviet de San Petersburgo fue, con mucho, el más activo de todos. Nació el 14 de octubre de 1905 y tan solo duró cincuenta días, antes de que las autoridades se encargaran de clausurarlo y encausar a sus líderes, entre los que se encontraba un joven intelectual judío de nombre Lev Davidovich Bronstein, pero que ya empezaba a ser conocido como Trotski, pseudónimo con el que firmaba sus artículos.

En muy poco tiempo, el soviet logró aglutinar prácticamente a todos los obreros de la urbe, cubriendo todas la empresas y ramas de la producción. Se había transformado, casi de la nada, en una de las organizaciones más poderosas de San Petersburgo, llegando a contar con quinientos cincuenta delegados, su propio órgano de expresión —el diario *Izvestia*—, una milicia de defensa y una eficaz organización de distribución alimentaria y de ayudas económicas para el proletariado. El soviet de San Petersburgo[12] pronto superó las meras reivindicaciones económicas que hasta entonces habían definido al de Ivanovo-Voznesensk, convirtiéndose en un ejemplo para los consejos obreros que, a partir del ejemplo capitalino, surgieron como setas después de una noche de lluvia por todo lo ancho y largo de la geografía rusa.

La estructura del soviet se conformaba como una especie de parlamento escogido por sufragio universal y directo por los trabajadores de todas las fábricas de la ciudad. En el de San Petersburgo cada mil obreros constituían un diputado. Se decidió también contar con un representante de cada uno de los partidos de la izquierda, con un fin meramente consultivo. Los primeros soviets eran declaradamente antipartidistas, pero aunque no querían que se les identificara con ninguna tendencia política prefigurada, fue la facción menchevique del Partido Social Demócrata Obrero Ruso quien dejó notar más su presencia —y su tutela-

---

[12] La denominación de la ciudad de San Petersburgo ha tenido una agitada historia a lo largo del siglo XX. Hasta 1914 se llamó tal y como ahora lo conocemos, pero a partir de entonces comenzaron los cambios. San Petersburgo pasó a ser conocida como Petrogrado, una denominación mucho más rusa para una ciudad excesivamente abierta a Europa. A partir de 1924, los bolcheviques cambiaron el nombre por Leningrado, en honor a Lenin, fallecido aquel mismo año. Tras la caída del comunismo, volvió a denominarse San Petersburgo.

en el día a día—. La doctrina menchevique encajaba muy bien con la idea de revolución espontánea que la creación de los soviets parecía prometer. Además, el soviet disponía de un organismo ejecutivo que funcionaba como una especie de gobierno a las órdenes de las decisiones de los diputados obreros, lo que lo convertía, de facto, en un gobierno paralelo. Un gobierno de obreros. Esta era la idea, el objetivo. Pasar de ser un simple comité de huelga a un auténtico gobierno obrero.

El 8 de noviembre el soviet de San Petersburgo convocó una huelga general en protesta por la condena a muerte de un grupo de soldados que habían protagonizado un motín en las instalaciones de una base naval cercana. El soviet aprovechó la huelga para poner al gobierno del zar en el punto de mira, enfrascándose en una violenta campaña de descrédito destinada a influir políticamente en los trabajadores. La actitud del soviet fue excusa suficiente para que el gobierno tomara represalias arrestando a su presidente, Krustalev-Nosar. Era el 26 de noviembre. Esperaba así acallar la voz del enojoso consejo obrero, pero no lo logró. Como sustituto de Krustalev-Nosar, Trotski concibió y animó públicamente una iniciativa por la que se solicitaba a la ciudadanía que, en protesta por la detención, se negara a pagar impuestos y retirase todos sus fondos de los bancos. La iniciativa suponía un pulso abierto al gobierno. ¿A quién harían más caso los ciudadanos? ¿Qué organismo de poder tenía más crédito entre ellos?

El gabinete de gobierno del zar no estaba dispuesto a admitir que el soviet ocupara nuevas cotas de poder a costa suya. Después del Manifiesto de octubre se sentía de nuevo con fuerzas para imponer su autoridad sin miedo a la reacción popular, de manera que rápidamente los periódicos que habían publicado la iniciativa del soviet fueron cerrados preventivamente y un decreto puso temporalmente fuera de la ley a cualquier tipo de manifestación. Las consecuencias fueron aún más terribles para el propio soviet, ya que su sede fue asaltada por la policía, siendo detenidos los cerca de doscientos obreros que se hallaban en su interior. De ellos, una cincuentena fue encausada y muchos de ellos condenados al destierro en Siberia.

Uno de los desterrados fue Trotski, *alma mater* del soviet desde el minuto uno de su constitución. Para Trotski el cautiverio no era una novedad. A pesar de sus veintiséis años, ya había conocido la prisión en Jerson y Odesa, donde tuvo la oportunidad de leer la Biblia en cuatro idiomas, lo que le reafirmó en su incurable ateísmo. Tampoco era nuevo en Siberia, a donde fue desterrado en 1900. Allí descubrió la revista *Iskra*, un opúsculo marxista editado en Londres a instancias del Partido Social Demócrata Obrero Ruso al que se suscribió. En 1902 escapó de Siberia para tomar contacto en el exilio con los responsables de la revista, a la que se unió colaborando con artículos bajo el pseudónimo *La Pluma*. Acudió a Londres, donde se alojó en casa de Lenin, con quien simpatizó en seguida. Tras la prohibición y liquidación del soviet de San Petersburgo volvió a pasar una temporada en Siberia, hasta que se fugó por segunda vez en 1907. A partir de entonces su implicación con el movimiento revolucionario fue total.

El procesamiento de Trotski y los demás miembros del soviet de San Petersburgo no pasó desapercibido en el seno de los demás comités obreros de Rusia. Aquel ataque contra el principal representante del poder obrero no podía quedarse sin respuesta. En consecuencia, los soviets de las distintas ciudades rusas convocaron una serie de protestas que se multiplicaron rápidamente por todo el país. La respuesta más importante fue la organizada por el soviet de Moscú, que llamó a la huelga general en protesta por los sucesos de San Petersburgo y reivindicando una vez más las tradicionales solicitudes obreras, como la jornada de ocho horas o la mejora salarial. La huelga se señaló para el día 5 de diciembre y fue secundada por unos cien mil obreros. Como era de esperar, las tropas fieles al zar no se anduvieron con miramientos y arrasaron con todo, siendo esta vez contestados por obreros armados y bien organizados, que colocaron barricadas en los puntos estratégicos de la ciudad y se defendieron con pistolas, fusiles y bombas de mano.

Mientras Moscú se transformaba en teatro de guerra, los tumultos se expandieron a otras ciudades rusas y volvieron a reproducirse en el campo, ascendiendo a más de mil trescientos los brotes violentos campesinos tan solo durante los dos últimos meses del año 1905, con un saldo total de dos mil mansiones quemadas. Las sublevaciones urbanas de Minsk, Kiev o Jarkov también tuvieron que ser reprimidas por los militares. Después de emplearse a fondo, casi todos los focos de rebeldía habían sido extinguidos. Tan solo Moscú continuaba presentando batalla. Los combates duraron más de una semana, y hasta el final era difícil saber quien estaba venciendo, ya que los obreros llegaron a ocupar varios distritos de la ciudad. La adhesión de los ferroviarios a la huelga hizo que todas las estaciones del ferrocarril de la ciudad se convirtieran en zona de dominio obrero. El paisaje se transformó: tranvías volcados, postes telefónicos tirados por el suelo, calzadas sin adoquines e incluso boquetes producidos por las bombas de los militares, dibujaban un Moscú grotesco, asediado por su propio ejército. El corazón, el núcleo de la sublevación se centraba en Presnia, el distrito obrero más importante de Moscú, a donde se dirigieron los bombardeos de los soldados en una orgía de destrucción que horrorizó, una vez más, a la opinión pública mundial. Un ejército que bombardeaba a su propio pueblo no podía ser un buen ejército. Las simpatías del mundo se dirigieron hacia los trabajadores, que tan valientemente estaban haciendo frente a las tropas del zar.

El día 15 de diciembre los zaristas recibieron refuerzos en forma de nuevas tropas que se unieron al asedio de Presnia y a la conquista del resto de la ciudad. Los huelguistas, que se habían organizado en una especie de república de obreros que contaba con sus propias fuerzas de orden y una ejecutiva revolucionaria originada en el soviet, aguantaban como podían. El 18 todo había terminado. El resultado fue la derrota completa de los sublevados y la destrucción parcial de Presnia. A los mil muertos de la batalla hay que sumar los damnificados por la violenta represión que se siguió a la misma. Muchos de los huelguistas que no fueron ejecutados o encarcelados durante los días posteriores fueron objeto de duras sanciones, como la pérdida del puesto de trabajo. Después de la tregua del Manifiesto de Octubre, el zarismo volvía a mostrar su peor cara: durante el primer semestre de 1906 más de 1 500 personas fueron fusiladas, y entre 1906 y 1909 fueron 38 000 los desterrados a Siberia o encarcelados con largas penas de prisión y trabajos forzados.

El parlamento de cartón

La Duma echó a andar el 27 de abril de 1906, siendo inaugurada por el zar y toda su cohorte de enjoyados aristócratas ante unos diputados que no lograban adaptarse a la magnificencia del salón del trono del palacio de Invierno. Todo un contraste entre dos mundos que hasta entonces se habían dado la espalda y que no parecían haber nacido para encontrarse. La zarina acogió con un mohín de disgusto a aquellos diputados vestidos a la europea, con chaqueta, corbata y pocos lujos, significando con meridiana claridad que

La inauguración de la primera Duma enfrentó cara a cara al boato de la aristocrática corte de los Romanov con la sobriedad de los diputados, la mayoría de ellos de partidos izquierdistas. Algo comenzaba a moverse en Rusia.

el parlamento no iba a permitir la continuidad de ciertas costumbres regias. Y es que a pesar de todas las precauciones tomadas por los asesores del zar, el proceso electoral había creado una mayoría netamente antiautocrática. Quienes habían intentado tranquilizar a un horrorizado Nicolás II de que la Duma no iba a ser más que una vulgar caja de resonancia de sus decisiones, tuvieron que improvisar argumentos para hacer explicable que el magistral diseño electoral que aseguraba un parlamento ultraconservador hubiera dado como resultado una mayoría antigubernamental. Y es que, en verdad, las leyes creadas al efecto[13] fueron diseñadas bajo patrones electorales deliberadamente descompensados para favorecer a los elementos conservadores, teniendo los obreros que lograr 90 000 votos para lograr un diputado y los terratenientes solo 200. En otras palabras, el voto de un terrateniente valía 450 veces más que el de un obrero. Para añadir más

---

[13] Ley electoral de diciembre de 1905 y leyes de competencias parlamentarias de 23 de abril de 1906.

fuego a la hoguera, los obreros tenían derecho a voto como obreros, no como ciudadanos; esto es, quien no trabajara o lo hiciera en una fábrica de menos de cincuenta operarios no podía votar. Del mismo modo, los temporeros, artesanos y demás proletariado urbano y campesino quedaban al margen del proceso electoral. Por supuesto, el sufragio era masculino y en el campo solamente tenían derecho a voto los propietarios, así como en la ciudad los dueños de los diversos establecimientos, pero no sus trabajadores. El sistema electoral, pues, caía pesadamente del lado de los conservadores. No tenía nada que ver con las proporciones reales de la sociedad rusa, destinado como estaba a asegurar en cada reelección parlamentaria una mayoría amplia que defendiera los intereses del sistema. Pero la cosa no terminaba ahí, porque además del sistema electoral las propias características de la Duma la convertían en un estéril salón de debates cuyos parecidos con los parlamentos de la civilizada Europa eran mera coincidencia. Por de pronto, la autocracia seguía siendo eso, una autocracia, de manera que la soberanía residía únicamente en el zar. En consecuencia, la elección popular para las Dumas y la existencia de dicha institución podían interpretarse por la monarquía como una prueba de magnanimidad para con un pueblo que debía de estar más que agradecido. Por eso la Duma no tenía ningún poder de control sobre el gobierno, que seguía siendo nombrado a capricho del zar y tan solo respondía ante él, y que mantenía en exclusividad las competencias relacionadas con asuntos exteriores y defensa, totalmente vetados a la Duma. El parlamento no tenía un poder decisorio real sobre los asuntos políticos de mayor calado, aunque en la mayoría de ellos podía interpelar o aportar ideas o proyectos que el gobierno estudiaría. Todo ello si dichas aportaciones no entraban dentro del extenso catálogo de asuntos vetados, entre los que se incluía la decisión sobre las partidas más importantes de los presupuestos del estado. En realidad, la Duma cubría funciones legislativas limitadas, desconociendo sobre los asuntos más importantes de la nación, aunque podía alterar y modificar un buen número de leyes menores. La legislación aprobada por la Duma debía de pasar por el filtro del Consejo Imperial, un organismo decididamente conservador formado por nobles, la mitad de los cuales eran directamente escogidos por el emperador y el resto indirectamente. Y por si las cosas se torcieran de alguna manera, el zar ostentaba la suprema prerrogativa de disolver el parlamento a placer, cuando lo considerara oportuno. De esta forma se construyeron un sistema electoral envenenado y una Duma castrada en la que la izquierda radical —eseristas y socialdemócratas— no tomó parte.

La defección de los partidos izquierdistas en la primera Duma fue un buen augurio para la monarquía. Todo presagiaba unas elecciones de cuyo resultado habría de salir, casi por fuerza, un parlamento conservador que no pondría dificultades a la labor del gobierno. Cuál sería su sorpresa y disgusto cuando los resultados electorales establecieron una Duma mayoritariamente reformista que clamaba por el final de la autocracia en pos de una monarquía constitucional similar a las de Europa occidental. De 497 escaños, solamente 40 eran progubernamentales, con un claro predominio kadete.

El dibujo de la Duma debía de haber hecho reflexionar seriamente al zar. Si un sistema electoral escandalosamente adulterado daba un resultado así, ¿cuál sería realmente el pulso del pueblo? Pero Nicolás II, lejos de pretender responder a esta pregunta, prefirió no hacérsela siquiera, atrincherándose en un victimismo estéril que le llevó a indignarse públicamente ante la desfachatez de los propietarios que se atrevían a votar contra el sistema. La mayoría kadete solicitaba, muy en sintonía con sus posiciones liberales, una cadena de reformas, empezando por la cesión de la potestad de que el gobierno respondiera ante la Duma y terminando por una reforma electoral en el que el voto fuera universal, secreto e individual. Nicolás II, que siempre aborreció el sistema parlamentario, consideró a estas reivindicaciones suficientemente inadmisibles como para plantearse hacer uso de la prerrogativa de disolver el parlamento. El zar tenía este propósito antes de su misma constitución, pero fue aconsejado para que esperase un tiempo. La disolución de un parlamento al día siguiente de su inauguración resultaba demasiado poco creíble incluso para los más conspicuos zaristas. Debía de esperar el momento adecuado, la excusa. Y la encontró cuando los liberales sacaron a la palestra la cuestión de la reforma agraria. La solicitud de expropiación forzosa de tierras para entregárselas a los campesinos pobres fue considerada inaceptable, y el zar, incapaz de ocultar su satisfacción, disolvió la Duma. Era 9 de julio de 1906. La primera experiencia parlamentaria rusa había durado algo más de dos meses.

Después de varios meses en vacío, se celebraron nuevas elecciones para la segunda Duma. Se inauguró el 20 de febrero de 1907 y mostró un parlamento aún más escorado hacia la izquierda que el anterior. La campaña gubernamental a favor de los candidatos conservadores y el desvío de fondos hacia sus partidos y órganos de opinión no dieron los frutos apetecidos, y el nuevo parlamento, que esta vez incluía a socialdemócratas y eseristas, parecía dispuesto a mostrarse combativo. Los kadetes perdieron su dominio anterior, dibujándose un parlamento netamente izquierdista donde trudoviques, eseristas, mencheviques y bolcheviques dejaban patente un aire más revolucionario y de confrontación para con el gobierno y el zar. Como es de suponer, el parlamento no fue del agrado de Nicolás

II, de manera que decidió que había que disolverlo. En una carta que escribió a su madre aseguraba que «hay que dejarles que hagan algo manifiestamente estúpido o vil, y entonces ¡paf, y fuera!». Las opiniones del zar reflejan un estado de opinión claramente desfasado con respecto a la época en la que vivía, aunque se *comprenden* en cierto modo, dada la elevada belicosidad de los discursos de la izquierda. Un diputado eserista, hablando de la propiedad agraria, con el desprecio dibujado en la cara, llegó a afirmar: «Nosotros sabemos muchísimo de vuestra propiedad; nosotros éramos vuestra propiedad. Mi tío fue cambiado por un galgo».

Una frase hiriente que no era ninguna exageración. Fue una práctica perfectamente legal en la Rusia rural del siglo XIX.

A principios de junio de 1907 el zar encontró la excusa que necesitaba para disolver la segunda Duma: según un informe del ministerio del interior, probablemente inventado o debidamente edulcorado, un grupo de diputados eseristas estaba preparando un complot político contra la monarquía. Ante la intención gubernamental de eliminar la inmunidad parlamentaria de dichos diputados para poder encausarlos, los parlamentarios organizaron un comité que investigara los hechos, dando como resultado la inocencia de sus compañeros. Como consecuencia, la Duma se opuso a levantarles la inmunidad, lo que fue interpretado por el zar como una insubordinación que condujo a la disolución del parlamento.

Mientras tanto, el gobierno continuaba actuando al margen del inexistente control parlamentario. Se proyectó una necesaria reforma agraria que fue calificada de mojigata e insuficiente, pero que mostró una cierta buena voluntad. En noviembre de 1905 una ley condonó las deudas de los campesinos sobre el pago de las tierras que poseían, cumpliéndose uno de los puntos el Manifiesto de Octubre con manifiesta celeridad. Era el primer paso para lograr el objetivo de formar una clase de campesinos que fueran pequeños y medios propietarios. «La propiedad es la garantía del orden», se decía entre las mentes pensantes del gobierno. Así se satisfaría a los campesinos, disminuyendo las revueltas y el hambre, y logrando una amplia base demográfica en el campo que sostendría al régimen. El gobierno facilitó los créditos para que los campesinos pudieran acceder a la propiedad de más tierras, con la vista puesta en la autosuficiencia y lejos de la influencia de la comunidad campesina. La propiedad comunal se privatizaría totalmente, formándose en el campo una mayoritaria clase de propietarios que no serían proclives a ningún experimento revolucionario. En consonancia con esta idea, la institución del mir fue abolida y cada agricultor fue considerado, automáticamente, propietario de la tierra que hasta entonces trabajaba para la comunidad.

Las medidas de privatización de las tierras no dieron el resultado esperado, y en vez de forjar una clase de campesinos propietarios, enriqueció a los pocos de ellos que pudieron contar con el dinero y la producción suficientes para hacerse con más tierras y prosperar. La mayoría de las familias campesinas se vieron incapaces de lograr los créditos necesarios, empobreciéndose aún más porque ahora solamente contaban con una pequeña parcela de tierra insuficiente, sin la solidaridad del mir a la hora de redistribuir los bienes.

Las bondades del Manifiesto de Octubre no parecían plasmarse en un bienestar palpable para los ciudadanos. Ni la reforma agraria ni la experiencia de las Dumas habían dado un saldo satisfactorio, y los tumultos menudearon de nuevo a partir de 1907. En junio de aquel año se aprobó una nueva ley electoral. Las dos experiencias anteriores habían aconsejado a la camarilla del zar un reforzamiento de la ley electoral para que no volviera a dibujarse de nuevo un parlamento tan antigubernamental, de manera que se disminuyó clamorosamente el peso del voto agrario y obrero, aumentando mucho más el de los terratenientes y propietarios ricos. Los obreros pasaban de tener que obtener 90 000 votos para colocar a un diputado en la cámara a tener que sacar 125 000, lo que definitivamente desvirtuaba a un sistema electoral que nunca tuvo la voluntad de reflejar la realidad política de la nación.

La tercera Duma se inauguró el 1 de noviembre de 1907 con una clara mayoría conservadora. Por fin habían conseguido una cámara decorativa, un coro de voces que arrullaban al zar en todo lo que decidía. Ahora se sentía algo más contento, aunque nunca ocultó que el hecho de tener que tolerar la existencia de una cámara de representantes, por muy ornamental que fuera, le molestaba profundamente. A partir de esta fecha y hasta la revolución de 1917, la Duma salvaguardó su carácter conservador y se mantuvo estable. Mientras tanto, entre los opositores al régimen se extendía la impresión de que tan solo les quedaba la lucha extraparlamentaria, y por supuesto que la opción de la reforma del régimen podía abandonarse frente a la solución drástica de su derrocamiento. La miopía o estupidez del zar lo había provocado. Aquellos años de calma institucional, con una Duma que cumplió los cinco años de su mandato y que se renovó nuevamente en 1912 con una clara mayoría conservadora bajo las mismas leyes electorales, escondían la semilla de la insatisfacción que presagiaba tormentas.

Entre 1907 y 1912 retornó progresivamente la era de las huelgas y los conflictos obreros, hasta hacerse de nuevo trágica a partir de 1912. La introducción de leyes supuestamente aperturistas, como la de la legalización de los sindicatos, lejos de aplacarlos atizaron aún más a los trabajadores. Se trataba de normativas repletas de enmiendas como esta de los sindicatos, que los legalizaba y permitía su actividad pública, pero bajo un férreo control gubernamental que desnaturalizaba su labor. Pastiches a la ley del tipo de la prohibición estricta de unirse con otro sindicato para una misma reivindicación dejan bien a las claras el espíritu de las reformas del zar. La supuesta buena intención del régimen ya no engañaba a nadie y de nuevo el fuego volvió a prenderse a partir de la matanza de mineros que se dio en Lena, Siberia, en el año 1912. Una huelga pacífica en reclamación de una subida de sus miserables salarios y una reducción de una jornada de trabajo fue estridentemente reventada por las fuerzas del orden, dando como resultado cerca de doscientos trabajadores muertos y centenares de heridos. De nuevo arreciaron las olas de solidaridad por toda Rusia, extendiéndose como la pólvora y amenazando al gobierno con un nuevo 1905. La oleada de huelgas provocada por la masacre de Lena cubrió todo el año y gran parte del siguiente.

En vísperas de la entrada de Rusia en la Primera Guerra Mundial, se inició en San Petersburgo una huelga en solidaridad con los obreros de Bakú que protestaban a causa de una epidemia que se había declarado en sus barracones. En principio, la huelga se había convocado con una duración de una hora, como muestra de solidaridad con Bakú, y nada más. Pero el asesinato de dos huelguistas a manos de la policía inflamó los ánimos, declarándose en la capital una huelga general de tres días. De nuevo volvieron las barricadas y el ambiente de guerra civil a San Petersburgo y a las calles de las principales ciudades obreras de Rusia. En condiciones tan precarias como esa, Rusia declaró la guerra a las potencias centrales el primero de agosto de 1914, en alianza con Francia y el Reino Unido. El zar se sumaba a una conflagración mundial de dimensiones tan espectaculares como nunca se habían visto en la historia, sin darse cuenta de que con un país amotinado, semejante decisión era un suicidio. De nuevo las levas pesaron gravemente sobre la población civil, lo que repercutió en el clima general de insatisfacción y desmoronó la producción agrícola. A ello se unía una soldadesca analfabeta con mandos incompetentes y armas desfasadas, un ejército inoperante que era derrotado una y otra vez en los campos de batalla, lo que afectaba de nuevo en el ánimo de la población. La guerra fue, además, una carnicería criminal en la que perdieron la vida más de un millón de rusos, enviados al frente sin orden ni concierto y muchas veces desarmados. Solo la tercera parte de los movilizados disponía de fusil, los demás tenían que lanzarse ante el enemigo con las manos desnudas y la consigna de hacerse con el fusil del compañero si era muerto en la batalla.

En 1915 las rebeliones volvieron a hacerse notar en Rusia y aquello ya no parecía tener fin. El gobierno había caído en un tremendo desprestigio incluso para quienes lo defendían, al hacer el zar dejación de sus obligaciones abandonando la responsabilidad gubernamental en su esposa, muy influenciada por un oscuro monje conocido como Rasputín. Mientras Nicolás II se dedicaba exclusivamente a dirigir la guerra, la zarina realizó veintidós cambios de ministros en cuatro meses por recomendación del monje, a quien tenía por santo. La vida disoluta de Rasputín y su dominio casi completo de la voluntad de la zarina terminaron de poner contra el zar a la propia aristocracia. Rasputín fue asesinado en misteriosas circunstancias en diciembre de 1916, casi con toda seguridad a manos de agentes de la más alta nobleza. El mal gobierno dio que pensar en los sectores más pudientes del Imperio, entre los que se larvaron varios complots nonatos para cambiar de cabeza la corona. El final del zar parecía ya sentenciado.

2

Una historia en rojo

*Una revolución llevada según las reglas
del juego de cricket sería un absurdo.*
Arthur Koestler

LA NUEVA DOCTRINA

Debido a la situación crónica de hambres y epidemias, la sociedad rusa ha sido históricamente muy conflictiva. Partiendo de los orígenes de la Moscovia de los primeros zares y terminando en vísperas de la revolución, Rusia ha destacado por ser cuna y escenario de una importante cantidad de revolucionarios que actuaban a ciegas, sin un marco teórico claro, contra el enemigo terrateniente. Como corresponde a una sociedad que nunca dejó del todo atrás la edad media, el actor principal de los estallidos de violencia revolucionaria siempre había sido el campesinado, lo que no es de extrañar habida cuenta de que la Rusia prerrevolucionaria seguía siendo una sociedad eminentemente agrícola. Hasta finales del siglo XIX no surgió un proletariado capaz de actuar como motor de una potencial revolución. Así pues, antes de la introducción del marxismo los movimientos socialmente inconformistas más radicalizados centraban su discurso y sus métodos en la lucha del campesinado por la mejora de sus condiciones de vida, con eventuales concesiones a las reivindicaciones políticas, sin ser estas ni de gran calado ni especialmente acertadas. Las repetidas «emociones»[14] revolucionarias cristalizaron finalmente en un movimiento denominado *narodnik*, que durante el transcurso del siglo XIX tomó cuerpo y presencia en todo el territorio ruso. Sus partidarios eran conocidos como *narodnikis*, y eran principalmente miembros de la *inteligentsia* urbana, que descubría con una mezcla de cariño patriótico y escándalo las condiciones de vida de sus compatriotas y pretendía un cambio revolucionario de base a favor de los más desfavorecidos. Instaban a los campesinos a levantarse contra las ataduras del terrateniente, del *kulak* e incluso del propio zar obteniendo un confuso aparato teórico que aunaba elementos de corte semianarquista con el socialismo utópico premarxista. En el conglomerado revolucionario *narodnik* también asomaba un componente primario de nacionalismo, así como un apego rayano en la adoración por los métodos violentos. Exaltaban una forma extrema de terrorismo que arrebató numerosas vidas, pero que en todos los años de su existencia no logró ni por casualidad hacer temblar al sistema. Junto a los nihilistas, tan bien retratados en las novelas de autores como Tolstoi o Dostoievski, los *narodniks* parecían tener más claros tanto sus objetivos como los métodos a emplear, lo que no fue óbice para el desarrollo de un floreciente terrorismo anarquista ruso.

La efervescencia revolucionaria que destilaban nihilistas y *narodniks,* muchas veces confundidos entre sí, pronto fue recanalizada por un duro competidor: el

---

[14] «*Emociones*» es un término que a veces ha sido utilizado para describir las revueltas campesinas que durante la edad media y moderna asolaron las tierras de Europa. He querido incluir esta palabra, ya que los levantamientos campesinos de la Rusia contemporánea responden mejor a las pautas seguidas por la medievalidad europea que a los siglos XIX y XX.

marxismo[15]. Infiltrado tímidamente en Rusia tres años antes de la muerte de Karl Marx (1818-1883), el marxismo fue compilado, traducido y profusamente divulgado entre la intelectualidad rusa por Georgi Valentinovich Plejanov, un erudito progresista que, como todo revolucionario al uso en Rusia, había formado en las filas de los *narodniks*.

Para Plejanov, el descubrimiento del marxismo supuso una auténtica transfiguración. Presentó las ideas de Marx para sí y para los rusos como una nueva fe, como la *ciencia de la revolución*. Descubría la historia como un elemento natural regido por leyes inmutables, mensurables y predecibles, al igual que las leyes de la física. Aunque Pavel Axelrod tiene el mérito de ser el primer gran intelectual ruso convertido al marxismo, será Plejanov, como gran difusor y maestro de la doctrina, quien ostente el título de padre del

---

[15] Sería una osadía por mi parte pretender explicar el marxismo en unas pocas líneas, así que... seamos osados: Según Marx, las relaciones de producción son la base de toda sociedad. De manera que la infraestructura económica define la superestructura política, cultural o ideológica. Si se cambia la base, la infraestructura económica necesariamente también cambiará y en consecuencia dará origen a una nueva superestructura. Durante la historia de la humanidad siempre han existido clases dominantes que han impuesto su dominio al resto mediante un sistema de relaciones de producción que les beneficiaba. Pero a medida que el sistema iba avanzando se desgastaba y las contradicciones del mismo crecían desmesuradamente hasta llegar a un punto de no retorno tras el cual se imponía la revolución, siendo sustituido el antiguo sistema de producción por uno nuevo, configurando una nueva sociedad totalmente diferente a la anterior. Tal ocurrió durante las revoluciones burguesas, en las que el antiguo régimen y todo su sistema de producción fue sustituido por el capitalismo. Igualmente, cuando las contradicciones del capitalismo, para Marx muy próximas en los países más industrializados, fueran irresistiblemente patentes, se daría la revolución socialista, última fase revolucionaria en la historia de la humanidad, tras la cual se logrará una sociedad sin clases, justa y duradera.

marxismo ruso, y así fue reconocido por los jóvenes revolucionarios que, como Lenin, no tardaron en profesar la nueva fe. Los escritos de Plejanov contagiaban su creencia en la infalibilidad del marxismo, en su condición de disciplina científica. El marxismo había logrado estandarizar y ordenar las leyes sociales y de la historia, demostrando empíricamente sus resultados. Ofrecía un conjunto cerrado y perfectamente coherente de explicaciones, causas, consecuencias y métodos a seguir a la hora de hacer una revolución que irremisiblemente habría de llegar. Era una nueva forma de interpretar el mundo. Un cambio radical, por lo tanto, con respecto al confuso movimiento *narodnik* que se dedicaba a tirar de terrorismo indiscriminado sin contar con objetivos ni métodos claramente definidos más allá de atacar al zarismo eliminando físicamente a sus representantes. Los *narodniks* no realizaban ningún tipo de análisis de fondo comparable al soberbio estudio del marxismo.

El marxismo supuso la elevación de las ciencias sociales a empirismo puro, de manera que la repetición constante de una serie determinada de leyes, refrendadas hasta la saciedad por la historia, hacía posible predecir el futuro a partir de las deducciones de Marx. El marxismo era pues un oráculo científico que anunciaba el inevitable advenimiento de la revolución mundial, la imposición del socialismo mediante la dictadura del proletariado y finalmente la sociedad comunista, entendida como una sociedad ideal, perfecta, en la que todas las injusticias quedarían resueltas y un mundo en armonía pudiera ser posible. El marxismo marcaba el camino.

El año 1883, el mismo de la muerte del maestro Marx, Plejanov creó en su exilio suizo la primera agrupación marxista rusa, *Emancipación del Trabajo*. Junto a él firmaban su acta fundacional otros importantes elementos del primer marxismo ruso, como Lyov

Georgi Plejanov fue uno de los pioneros en la propagación de las ideas marxistas en Rusia. Las primeras agrupaciones políticas de este signo lo admitieron unánimemente como el padre del marxismo ruso.

Deutsch, Vera Zasulich y Pavel Axelrod. El activismo de esta organización se desarrolló casi por completo dentro del campo intelectual, dedicándose a la traducción y divulgación de las obras de Marx y Engels para el público ruso. Además, desarrollaron importantes labores de investigación y escribieron aportaciones propias al desarrollo del marxismo, siendo uno de los primeros grupos de estudios marxistas a nivel mundial. Lejos de tratarse de un movimiento netamente obrero, era más bien una agrupación de eruditos muy alejados del conocimiento de primera mano de las penalidades del proletariado y el campesinado ruso, pero muy concienciados y dispuestos a ayudarlos desde su formación como miembros de la numéricamente limitadísima *intelligentsia*. *Emancipación del Trabajo* actuaba fuera de las fronteras del Imperio ruso, debido a la preferencia de sus promotores por la seguridad política en países como Suiza, en los que se podía respirar una tolerancia francamente chocante con respecto a la de su país de origen.

Además de divulgar el marxismo en lengua rusa, otra de las preferencias del grupo fue el combate doctrinal contra los revolucionarios rusos de antiguo cuño, como los *narodniks* y nihilistas, a quienes se preocupaban por demostrar la superioridad innata del marxismo sobre sus vagas teorizaciones. En este campo siguió la tendencia del marxismo internacional que, con su principal foco doctrinal centrado en Alemania, trataba de imponer su hegemonía dentro del mundo revolucionario sobre otras doctrinas *inferiores* como el anarquismo, que ya fue desterrado de la Primera Internacional para convertirse en la *bestia negra* del marxismo y muchas veces en su chivo expiatorio, como ocurrirá en el futuro proceso revolucionario ruso[16].

Siguiendo la estela del grupo de Plejanov y reconociendo a este como guía indiscutible, en 1895 surge la *Liga para la lucha por la emancipación de la clase obrera*. Se trataba de una agrupación marxista formada por un grupo de intelectuales con base en la ciudad de San Petersburgo. Dentro del núcleo fundacional de esta agrupación formaban nombres que retumbarán en la posterior historia del marxismo mundial, como los de Martov o Vladimir Illich Ulianov, a quien la historia conocerá como Lenin. Los fundadores de la Liga ya habían tenido contacto con el grupo de Plejanov y el mismo año de la fundación Lenin tuvo la oportunidad

---

[16] Las desavenencias entre Bakunin y Marx provocaron la expulsión de los anarquistas de la Primera Internacional Obrera y la creación de una Segunda Internacional, únicamente marxista, que fue conocida como Internacional Socialista. Años después, y como líder indiscutible de la Rusia soviética, Lenin fundó la Tercera Internacional, conocida como Internacional Comunista o Komintern escindiendo de hecho a los partidos comunistas de los socialistas. Con posterioridad se ha venido a llamar Cuarta Internacional a la creada por los seguidores de las doctrinas de Trotski.

de conocer personalmente al maestro en una visita que hizo a Suiza. Lenin aún era un perfecto desconocido a nivel doctrinal, pero la policía política del zar ya le había fichado por sus acciones en pro de la revolución. La primera consecuencia grave de sus actividades políticas fue la expulsión de la universidad de Kazán, donde estudiaba la carrera de derecho. Su familia había decidido enviarlo a estudiar allí, y no a Moscú o San Petersburgo, con la prudente intención de que su querido vástago tuviera el menor contacto posible con la efervescencia revolucionaria que afectaba a grandes masas de estudiantes rusos. Sin embargo, la más provinciana y alejada Kazán no pudo hacer nada para evitar el despertar revolucionario de un joven Lenin que ya había sido inoculado con el virus de la rebeldía a partir de la ejecución de su hermano Alejandro, acusado de planear un atentado *narodnik* contra el zar. El fallecimiento del hermano mayor supuso un duro golpe para toda la familia y la repentina toma de conciencia de Lenin en un doble sentido: primero, que había que luchar para derrocar al zar e imponer un sistema de justicia social, y segundo, que la política de los atentados indiscriminados con ideas desbarajustadas era una ruina. Había que planear eficaz y minuciosamente la toma del poder.

Un Lenin de apenas diecisiete años acusó profundamente el ahorcamiento de su hermano y tomó su antorcha, asiéndola con fuerza para disgusto de su familia. Además, la existencia en casa de una rebosante biblioteca y un ambiente en cierto modo liberal llevaban consigo el riesgo de que alguno de sus hijos adoptara el gusto por la lectura, y una vez universitario, pudiera convertirse en un intelectual «peligroso» para el régimen. La revolución impregnaba todos los recovecos de los hijos de las familias acomodadas, que no podían quedarse impasibles ante el trato y la situación en la que vivía la mayoría de la población.

Como hijo de inspector de escuela y nieto de médico, el joven Lenin podía permitirse el lujo de ser expulsado de la universidad de Kazán y continuar sus estudios en otra ciudad, lo que hizo en San Petersburgo, donde completó la carrera y comenzó a trabajar como pasante del bufete de un abogado. Pero la capital significó mucho más que el inicio de una corta y poco productiva vida laboral: allí descubrió el marxismo en toda su extensión, alimentándose de los fondos de las extraordinarias bibliotecas petersburguesas y de los boletines y traducciones clandestinos que llegaban a Rusia desde el exterior. A partir de entonces, Lenin se dedicó en cuerpo y alma a la revolución, un tema que llegó a absorberle, en claro contraste con un trabajo de picapleitos que le aburría profundamente. Por aquéllas fechas aún era un *plejanovista* y como tal, admitía la necesidad de completar la revolución burguesa en Rusia antes del inicio de la proletaria; pero desde el principio soñaba con la revolución rusa, el final del zarismo y la imposición de un sistema nuevo que evolucionara hacia un socialismo guiado por las doctrinas y conclusiones de Marx. En cierto modo se puede decir que, a pesar de tratarse de un intelectual, Lenin era más activo que pasivo. Así como Marx y Plejanov simbolizaban la teoría, Lenin era la actividad, la encarnación misma de la revolución en marcha. Si desarrolló un importantísimo bagaje teórico no fue como un fin en si mismo, sino con el objetivo de instaurar el sistema revolucionario, de hacerlo realidad, y hacia ese objetivo dirigió toda su fuerza, tanto de actividad práctica como de desarrollo teórico y doctrinal. Sus ansias se dirigen hacia un sistema dedicado a la acción, más que a explicar el mundo. Lenin destilaba energía, encandilaba con la pasión de su discurso, tenía carisma al hablar y, al discernir, era energía pura con una capacidad de abstracción extraordinaria. Era un intelectual puro y al mismo tiempo pleno de fuerza. Sin embargo,

La primera agrupación política marxista surgida en el interior de Rusia fue la *Liga para la lucha por la emancipación de la clase obrera*, que contaba entre sus filas con personalidades que iban a jugar un papel decisivo en el futuro del POSDR, como Lenin (sentado, en el centro) o Martov (con barba, sentado a su izquierda).

esta energía escondía una mente brillante encerrada en un cuerpo enfermo que no era precisamente dinámico ni enérgico. La fuerza se la aportaban su cabeza caliente, su mente burbujeante y sus ansias de cambiar el mundo. Lenin estuvo aquejado durante toda la vida por numerosas dolencias. Algunas le molestaron gravemente hasta el punto de obligarle a retirarse un tiempo de la actividad diaria, como sus omnipresentes problemas estomacales y nerviosos, sus migrañas y el agotamiento general que periódicamente le obligaba a guardar cama; pero otras resultaron más graves, como la anomalía cerebro-vascular congénita que lo llevó tempranamente a la tumba.

El 5 de diciembre de 1895, año de la fundación de la Liga, Lenin fue detenido por actividades subversivas y después de varios meses en la cárcel, trasladado a Siberia. En 1900 fue indultado, tomando la decisión de exiliarse en Suiza, donde podría desarrollar sus actividades políticas con mucha más libertad que bajo el viciado ambiente ruso. El Lenin que se asienta en Ginebra no es el mismo que fue desterrado a Siberia cinco años antes. La estepa fue su prisión, pero también su biblioteca y celda de estudio. Allí pudo leer con tranquilidad a autores políticos como Marx, Engels o Karl Liebknecht, y a filósofos como Spinoza, Kant, Feuerbach... Los cinco años de Lenin en Siberia completaron su formación teórica y le dieron la oportunidad de escribir, de reflexionar e interpretar la realidad en base a lo leído, desarrollando documentos de gran valor teórico como *El desarrollo del capitalismo en Rusia*, la obra por la que se dio a conocer dentro de los círculos plejanovistas. Siberia transformó a un Lenin culto, intelectual y abstracto en un hombre extraordinariamente culto, extraordinariamente intelectual y extraordinariamente abstracto; unas dotes que, unidas a sus cualidades carismáticas, supo utilizar a favor de su obsesión revolucionaria. Siberia, además, le dio la oportunidad de casarse con Nadia Krupskaia, una joven y entregada activista que jugará un papel destacado en el futuro del bolchevismo y de la propia revolución rusa, siempre a la sombra de su marido.

En marzo de 1898, con Lenin, Martov y todos los miembros de la pequeña Liga desterrados o huidos, nació en Minsk el Partido Obrero Socialdemócrata Ruso (POSDR). La reunión fundacional, pomposamente denominada Primer Congreso del POSDR, reunió a nueve personas, ninguna de ellas especialmente importante de cara al desarrollo futuro del partido y de la revolución rusa. La mayoría de ellos fueron detenidos de inmediato. Esto fue suficiente para que, una vez en Ginebra, Lenin acudiera al recuerdo del POSDR para refundarlo según nuevas directrices. El nuevo POSDR tenía que tener su centro de actividades en el exterior, a salvo de las injerencias policiales zaristas, tan asfixiantes que ya habían liquidado numerosos grupos revolucionarios desde la cuna. Además, era necesario que se le dotara de un órgano teórico, una revista que dirigiera su desarrollo doctrinal y aireara sus ideas por todos los confines de Rusia. Para Lenin era imprescindible la cobertura de un partido político marxista que, además, ya existía. Las nuevas ideas de Lenin suponían un chorro de aire freso dentro del excesivamente teórico movimiento marxista ruso, y pronto los miembros de *Emancipación del Trabajo*, con Plejanov a la cabeza, aceptaron las innovaciones que el joven abogado traía debajo del brazo. Lenin argumentaba que era necesaria una revista semanal, ya que un partido situado en el extranjero poco podía hacer sin un órgano de expresión periódico. Una revista semanal obligaría a sus integrantes a mantenerse en permanente actividad intelectual y a dar a conocer sus ideas, creando la ficción de la existencia real del POSDR. Acertaba en sus planteamientos. En sus inicios, el POSDR de Lenin y Plejanov no fue más que un consejo de redacción de una revista política con pequeños anexos. Era una revista con partido más que un partido con revista. Y eso mantuvo en pie durante muchos años la etérea agrupación revolucionaria.

El 1 de diciembre de 1900 nació en Stutgart la revista *Iskra* (La Chispa). Se fundó como portavoz del nuevo POSDR, bajo la directriz moral y teórica de Plejanov pero con la impronta de un precoz Lenin, que había ideado todas las acciones. Lenin empezaba a destacarse como un militante con hechuras de líder. Los jóvenes de su generación admitían a Plejanov como maestro, pero sentían más apego por Lenin, que se les presentaba activo y con las ideas mucho más claras. Desde las páginas de *Iskra*, Lenin aboga por la organización de lo que denominarán Segunda Conferencia del POSDR, en honor al congreso fundacional de 1898, en la que debía de clarificarse y decidirse un programa de partido que refundara ideológicamente al mismo.

Las reformas y actividades llevadas a cabo por Lenin no tienen precio. *Iskra* se difundió clandestinamente por Rusia con notable éxito y comenzó a crearse la sensación entre el proletariado ruso de que existía una poderosa organización secreta y revolucionaria inserta en todas las fábricas y oculta entre los trabajadores, conspirando en silencio para derrocar al tirano. Para muchos obreros, esa organización fantasma de contornos tan misteriosos e indefinidos, pero que era capaz de hacerles llegar una revista semanalmente, suponía una poderosa esperanza para seguir luchando por sus derechos, y en seguida comenzaron a aparecer grupos de *iskristas* en el interior. El poderoso POSDR solamente era un pequeño consejo de redacción de una revista, un puñado de filósofos exiliados, pero para los rusos representaba mucho más. Lenin estaba consiguiendo crear la atmósfera adecuada para el despegue de un partido que a toda costa habría de convertir en suyo.

EL HEREJE

El año 1902 Lenin dio el paso adelante que le distinguirá como un pensador original. Publicó una obra titulada *¿Qué hacer?*, en la que plantó las semillas de una incipiente nueva versión del marxismo. Alejándose de la ortodoxia oficial que la *vieja guardia* de Plejanov atesoraba como oro en paño, Lenin se rebeló contra la idea de que fuera necesario esperar o incluso favorecer la explosión de la revolución burguesa en Rusia, para más tarde, en un futuro muy lejano, poner las bases de la toma del poder. Lenin rompió así con uno de los pilares de la ortodoxia, según la cual Rusia era un país atrasado que aún no había superado la fase precapitalista, de manera que no se hallaba en condiciones de desarrollar la revolución socialista. La rigidez del marxismo ortodoxo ponía la vista en los países desarrollados de Europa occidental, donde las contradicciones del sistema capitalista provocarían la toma obrera del poder. Eran sociedades maduras que contaban con un proletariado numeroso, fuerte y concienciado, y que por ello ya estaban preparadas para dar el siguiente paso de la humanidad. La sociedad rusa, sin embargo, anclada en un sistema semifeudal, se encontraba aún muy lejos del ideal socialista.

Contradiciendo absolutamente al marxismo ortodoxo, Lenin aseguraba que en Rusia se daban las condiciones para la revolución. No solamente era posible, sino que era precisamente allí donde mejor se reunían las condiciones de una revolución de tipo marxista. Para el marxismo ortodoxo, Rusia debía de esperar su hora, mientras que Lenin aseguraba que ya había llegado. Lo que para muchos fue considerado una herejía, para la futura URSS y los teóricos comunistas posrevolucionarios no fue más que una adaptación de las teorías de Marx y Engels a la realidad de la época, una adecuación a los nuevos tiempos, perfectamente en sintonía con la ortodoxia. En este sentido daré voz a J.B. Fages quien en su libro *Introducción a las diferentes interpretaciones del marxismo* afirma:

> La mayor paradoja en la historia de los marxismos reside en que el paso de una teoría a la revolución efectiva y victoriosa ha dependido de una reinterpretación crítica o herética [...] y no de una estricta aplicación ortodoxa. Frente a Lenin, los ortodoxos, los científicos del marxismo, se llamaban Kautsky y Plejanov. Lenin se impone por haber tenido prácticamente razón: su desviación se convertirá en línea directriz. A partir de él, el doblete será de rigor: el marxismo-leninismo.

Las ideas de Lenin, prefijadas en *¿Qué hacer?* y luego magistralmente desarrolladas, plantean que el capitalismo ha dejado de lado la etapa nacional en la que vivió Marx para pasar a la que denomina *fase financiera*. En ella se ha desarrollado una proletarización y consecuente empobrecimiento de algunos países en beneficio de otros más poderosos, de manera que los obreros de los países ricos pierden potencial revolucionario al ser también beneficiarios, aunque en muy pequeña parte, de las ganancias de sus países. De esta forma, los más miserables de todos serán los proletarios de los países proletarizados, caso de Rusia, país semifeudal con un capitalismo muy débil y en muchos casos inexistente controlado por las poderosas economías de Europa occidental[17]. Los obreros rusos son los más miserables, y por tanto, los que sufren con mayor intensidad las contradicciones del capitalismo mundial y los más dispuestos a la revolución. Ante la debilidad e incapacidad manifiesta de la burguesía para imponerse y derrocar la aristocracia en Rusia, Lenin asegura que debe de ser el proletariado quien tome el mando en su lugar para, acto seguido, dedicarse a la construcción del socialismo en unión con el campesinado que, a pesar de no ser revolucionario *per se*, las circunstancias de Rusia lo convierten en un aliado circunstancial. Tras la «dictadura democrático-burguesa del proletariado y el campesinado», este dejaría de ser revolucionario y sería el proletariado quien habría de tomar el timón, unido al campesinado más miserable contra los *kulaks*. El proletariado europeo, más vigoroso y numeroso que el ruso, lo ayudaría a terminar de asentar la revolución. En este sentido, Lenin aseguraba que Rusia era el eslabón más débil de la cadena capitalista mundial, y por tanto el lugar donde con más facilidad

---

[17] El concepto de *nación proletaria* fue también definido y adoptado por autores y políticos como Sorel, Corradini o Mussolini, los *aprendices de brujo* que engendraron el fascismo. Las coincidencias entre el pensamiento de Lenin y el de los padres del fascismo resultan a veces aterradoras.

Lenin pronto destacó como un eficaz intelectual volcado en transformar todo el bagaje teórico acumulado en acción revolucionaria práctica. Nunca comprendió las aportaciones teóricas como un fin en sí mismas, sino con el objetivo de aplicarlas a la toma del poder.

habría de romperse. Una vez roto, el resto de la cadena será más fácil de quebrar.

Lenin concluye que, al contrario de lo que la mayoría de los marxistas esperan, nunca se dará una revolución de manera espontánea. El eslabón más débil no se iba a quebrar por sí solo. Para ello era necesario un pequeño equipo de revolucionarios a tiempo completo encargados de diseñar al milímetro todos los pasos a dar para el triunfo de la revolución. Ese grupo habría de estar reducido tan solo a las personas adecuadas y restringido a las bases del partido revolucionario que acatarían sus directrices sin preguntar. Lenin rechaza la revolución de masas; prefiere la calidad antes que la cantidad. Además, el elitista grupo de revolucionarios dedicados en cuerpo y alma a la revolución habría de ser organizado a la sombra de un partido también pequeño, disciplinado y fuertemente centralizado. El partido ideal de Lenin no es un partido de masas sino una asociación de pocos y escogidos hombres, erigidos en vanguardia directora de la revolución. Lenin considera que las decisiones adoptadas por mayoría dentro del partido han de ser acatadas por todo él en bloque, sin fisuras. A esto lo llamó «centralismo democrático». El partido dirige a las masas obreras, que han de seguir sus designios con fe ciega, sin dudar. Es también el partido el que aporta la teoría revolucionaria, ya que el obrero de por sí no es capaz de desarrollar espontáneamente ninguna. Todos estos componentes aportan al partido leninista y a sus integrantes un componente fuertemente *jesuítico*: Dice Lenin:

> Todos los miembros del comité de fábrica deben de considerarse agentes del comité central, hallándose obligados a obedecer todas sus directrices, a observar todas las leyes y costumbres de ese «ejército en combate» en el que se han alistado y al que no pueden abandonar sin autorización del capitán.

Ignacio de Loyola se habría sentido plenamente identificado con estas palabras.

Los planteamientos jerarquizados, centralizados y fuertemente colectivistas llevaron a Lenin a felicitarse por el ascenso de Mussolini dentro de las estructuras del Partido Socialista Italiano. Acabar con el capitalismo de raíz, sin miramientos, ni siquiera a la hora de evaluar los métodos a emplear. Como los fascistas, Lenin se muestra rabiosamente antiindividualista. Mientras que el fascismo proclama a los cuatro vientos que «el individuo ha muerto», el leninismo ensalza la «organización y disciplina proletarias» frente al individuo egoísta, la falta de disciplina que deriva en el peligroso anarquismo disgregador y el evolucionismo de revolucionarios *blandos* cono Martov. La negación del individuo es un rasgo coincidente en todos los totalitarismos, tanto de derechas como de izquierdas, y supone uno de sus rasgos definitorios más destacables.

Lenin fue uno de los primeros marxistas que no renegó de los nacionalismos. Creyó ver en ellos una fuerza potencialmente revolucionaria si se sabía instrumentalizarlos para derrocar a la autocracia rusa. Para el marxismo ortodoxo, el nacionalismo es una «mentira burguesa» cuyo único objeto es dividir al proletariado e incluso enfrentarlo a sus hermanos, enmascarando así la explotación capitalista. Lenin, sin embargo, proclamó el derecho de autodeterminación en un intento táctico de unir fuerzas con los nacionalismos del Imperio ruso, una importante fuente de inestabilidad política:

> Nos interesamos por la autodeterminación del proletariado de cada nacionalidad más que por la autodeterminación de los pueblos y naciones —decía Lenin— En cuanto al apoyo de las exigencias de autonomía nacional, no es en modo alguno una parte permanente y vinculante del programa del proletariado. Este apoyo puede ser necesario solo en casos excepcionales.

Al alimón con los guardianes de las esencias del marxismo, Lenin definió la independencia de Polonia como de «utopía reaccionaria». Rechazaba así cualquier atisbo de autodeterminación de una de las naciones no-rusas más importantes del Imperio, algo muy poco coherente para alguien que ha sido intencionadamente presentado como adalid de la independencia de las nacionalidades oprimidas. Lenin nunca se planteó la autodeterminación de los pueblos en un sentido abierto y sin condiciones, como lo hizo el presidente norteamericano Wilson tras la Primera Guerra Mundial, sino desde un prisma supeditado a los intereses del partido y de la revolución. En caso de que los intereses del proletariado entraran en contradicción con los de la nación, cosa que ocurrió siempre durante los años de la Unión Soviética, esta última era acallada sin contemplaciones.

Los planteamientos leninistas revolvieron la apacible vida del pequeño POSDR, un partido que pasó de ser una escuela de traductores y eruditos a transformarse en un elemento activo en la arena política. Pero al mismo tiempo, la audacia de Lenin anunciaba una discordia que pronto lo dividirá en dos facciones difícilmente conciliables. La dureza de los planteamientos de Lenin desembocó en serias desavenencias entre el maestro Plejanov y el alumno aventajado. Por su parte, Iulius Martov, amigo personal de Lenin y cofundador de la *Liga para la lucha por la emancipación de la clase obrera*, observó en sus tesis un peligroso desviacionismo. Martov apreciaba rasgos muy preocupantes en su amigo y, aunque una gran batalla ideológica se estaba perfilando en el horizonte, interpretaba que, de momento, Lenin tan solo había puesto encima de la mesa sus ideas y sería el congreso a realizar quien se encargase de enmendar los errores que, en buena lid y en libre discusión, había desarrollado. De momento, los elementos más ortodoxos preferían hacer piña con Lenin y los suyos contra los que fueron llamados «economicistas», una corriente de opinión que se acercaba más a la idea de partido socialreformista que revolucionario. Tanto ortodoxos como leninistas estaban de acuerdo en considerar inaceptables las ideas de los representantes de esta corriente. Sin embargo, para un Lenin que ya se perfilaba como el líder de los «duros» se hacía urgente no solamente condenar sus ideas, sino eliminar de raíz lo que consideraba una peligrosa disidencia. Para Lenin, los «economicistas» eran un aliado del sistema al reivindicar tan solo reformas laborales y sociales, sin pretender cambiar el sistema de arriba abajo. No se podía tener al enemigo en casa.

Las diferencias entre Plejanov y Lenin estaban cada vez más definidas, pero de momento preferían trabajar juntos, el primero sin atacar directamente al segundo y este asumiendo obedientemente la autoridad del maestro. Después de una larga serie de encontronazos dialécticos, Lenin y Plejanov fueron convencidos para trabajar juntos con el objetivo de presentar un anteproyecto estatutario del partido que sería presentado al congreso. En él se excluía cualquier concesión a los «economicistas», amparándose en el hecho de que las corrientes representadas por ambos, ya algo perfiladas[18] pero aún bastante unidas, suponían la mayoría abrumadora del partido. Gracias a ello se pudo camuflar una prematura ruptura entre los sectores «duros» de Lenin y los «blandos», que contaban con un liderazgo menos definido, pero sobre quienes se perfilaba Martov como portavoz principal. Así salvaban la crisis que Lenin había planteado meses antes al presentar un contraproyecto de estatutos al de Plejanov, asegurando que los planteamientos del viejo marxista eran demasiado prudentes. Lenin había abierto un enfrentamiento directo con el jefe, el maestro, el adorado Plejanov, contra quien por dialéctica y carisma tenía todas las de ganar. Sin embargo, en seguida supo que era un enfrentamiento prematuro. El interés de la mayoría del partido para que llegaran a un acuerdo y presentaran un anteproyecto conjunto le convenció de que aún no había llegado su momento. Acató algunas de las ideas presentadas por Plejanov en su primer proyecto y accedió a redactar uno nuevo, conjunto, de acuerdo con el maestro, en el que tuvo

---

[18] El abismo doctrinal que separaba a Lenin de Plejanov no se dejó ver con toda claridad hasta mucho más tarde. De hecho, Plejanov votó junto a los duros en el II Congreso, algo de lo que más tarde se arrepintió para terminar rompiendo con Lenin, escandalizado por sus métodos y planteamientos.

que retirar algunas de sus propuestas. Era la última vez que desarrollaría un ejercicio de flexibilidad tal. Lenin no estaba dispuesto a renunciar a un solo punto de sus ideas. Las impondría en el partido o crearía otro diferente.

Bolcheviques y mencheviques

El que ha pasado a la historia como II Congreso del Partido Obrero Social Demócrata Ruso se inauguró en julio de 1903 en Bruselas, aunque razones de seguridad aconsejaron el traslado a Londres, donde se desarrolló la segunda mitad del mismo. A pesar de su numeral, a efectos prácticos fue el congreso fundacional del partido y por esta razón uno de los más importantes. Como era de prever, los delegados dieron luz verde al proyecto estatutario de Lenin y Plejanov, que tan solo contó con el voto negativo de los *«economicistas»,* definitivamente excluidos como corriente de opinión a partir del final del congreso. La unión entre los «duros» de Lenin y los «blandos» de Martov, todos ellos agrupados bajo la común denominación de *iskristas*, representaba a prácticamente la totalidad de la militancia del POSDR, y eso les hacía sentirse como los genuinos miembros del partido en contraposición a los *economicistas*, los miembros del *Bund*[19] o los de otros grupos minúsculos asociados al POSDR. Tenían, pues, juntos, toda la fuerza para imponer sus decisiones sobre los grupos marginales. Pero aquí terminaba aquella superficial unidad *iskrista*. Las ponencias y discusiones que se sucedieron durante el congreso dejaron bien a las claras las graves diferencias que

---

[19] Partido marxista judío que deseaba tener reconocida una autonomía propia dentro del partido y que estuvo presente en el primer Congreso del POSDR.

enfrentaban a «duros» y «blandos» y la falta de perspicacia de un Plejanov que intentaba mantener las apariencias bajo la gruesa capa de la neutralidad. Como *gran buda* del marxismo ruso, se sentía obligado a mantener la unidad y al mismo tiempo a no apoyar decididamente a ninguna facción, lo que no pudo conseguir. Por estrategia, temor o convicción, o quizá por un poco de las tres cosas, Plejanov votó las tesis de Lenin, algo de lo que más tarde se arrepentiría, aunque, como veremos, no sería la última vez que se iba a subir a su carro.

Gracias al apoyo de los «economicistas» y de los miembros del Bund, el sector acaudillado por Martov pudo sacar adelante su modelo de partido abierto y de masas, en contraposición a la propuesta leninista de modelar al POSDR como un partido pequeño, disciplinado y centralizado. La dicotomía entre los «duros» y los «blandos», apoyados por una constelación de «bundistas, economicistas» y pequeñas agrupaciones no integradas en *Iskra*, se dejó sentir en el congreso agriándose las discusiones. Desde las filas «blandas» se acusó a Lenin de querer imponer una dictadura dentro del partido y a pretender instaurar en Rusia la «dictadura sobre el proletariado» en vez de la «del proletariado». Trotski, que debía su posición como redactor de *Iskra* a Lenin, unió su voz al coro de críticos demostrando tanto su honradez intelectual como una ineptitud galopante para nadar en las aguas del clientelismo. Lenin no podía creer que su apreciado Trotski le diera la espalda en el congreso. El intelectual judío tenía razones de conciencia para ello, y es que consideraba que Lenin había incurrido en un grave error de heterodoxia. En consecuencia, las tesis de los «blandos» fueron aprobadas una detrás de otra, prefigurando una amplia derrota de los «duros» que, sin embargo, no terminó de producirse. El cambio de tornas llegó a partir de la discusión de las aspiraciones del Bund a tener reconocido un estatus de partido autónomo dentro del POSDR como consecuencia de representar a una nacionalidad separada de la rusa. Tales solicitudes fueron frontalmente rechazadas tanto por «duros» como por «blandos», e igualmente, la ofensiva conjunta de los *iskristas* contra los «economicistas» finalizó con la retirada a estos últimos de su derecho al voto. Con una intención confesa, los leninistas se habían esforzado en echar del partido a los «economicistas» y su presión finalmente surtió efecto: «economicistas» y *bundistas* se dieron la mano en medio del congreso para protestar por lo que consideraban un trato vejatorio hacia sus representantes, por lo que anunciaron su abandono del congreso. La unión entre *iskristas* «duros» e *iskristas* «blandos» había logrado marginar a los sectores más moderados del partido, una solución muy satisfactoria para Lenin en dos sentidos: primero, porque deseaba con todas sus fuerzas la marginación y desaparición de estos grupos, y segundo, porque su falta colocaba a los «duros» en mayoría. Huérfanos de los votos de bundistas y «economicistas», los «blandos» habían pasado de ver aprobadas todas sus posiciones a tener que afrontar una continuación del congreso con predominio de los «duros». La situación provocó la intervención de varios grupos de «blandos» con el objeto de suspender la celebración del congreso, argumentando que la mayoría dibujada en la sala no se correspondía con el sentir mayoritario de los miembros del partido. La propuesta fue desestimada y el congreso continuó celebrándose con toda normalidad.

El siguiente punto a debatir no era otro que el de la elección de los órganos de dirección del partido. Martov argumentó que una decisión tan importante no podía dilucidarse en un congreso cuya mayoría no reflejaba el sentir verdadero del partido, pero de nuevo fue desoído y los resultados se decantaron claramente favorables a los «duros». En consecuencia, los dos órganos más influyentes, el comité central y el consejo de redacción de *Iskra*, cayeron pesadamente del lado de los de Lenin. El comité central quedó compuesto exclusivamente por «duros» y el consejo de redacción de la revista se redujo de seis a tres miembros, dos «duros» —Lenin, y Plejanov como duro circunstancial— y un blando —Martov—. Debido a que consideraban que su minoría era circunstancial, los «blandos» ni siquiera se habían dignado a votar, encasillados en su argumento de que no es válido que una decisión tan importante se vote en aquellas condiciones, sin la presencia de los delegados que se habían retirado del congreso. Pero el congreso siguió adelante, y pronto se empezaron a oír airadas protestas que definían la situación como «estado de sitio y leyes de excepción sobre determinados grupos», en referencia al injusto trato dado a los grupos minoritarios. Martov renunció al puesto que el congreso le había asignado dentro del consejo de redacción de *Iskra*, quedando esta dominada totalmente por los «duros», que seguían empeñados en seguir adelante con el congreso y que consideraban perfectamente legítimas las votaciones a pesar del boicot de los «blandos». A partir de entonces, los partidarios de Lenin comienzan a utilizar los términos de bolcheviques (mayoritarios) a la hora de referirse a su facción y de mencheviques (minoritarios) cuando se refieran a la acaudillada por Martov[20].

---

[20] Los «blandos» cometieron el error de aceptar tácitamente la definición de «mencheviques» que les habían adjudicado los leninistas, sin reconocer nunca que fueran minoritarios. Con ese nombre fueron conocidos a partir de entonces en la política rusa y como tales han pasado a la historia, en contraposición a los bolcheviques, que se adjudicaron la etiqueta de mayoritarios sin serlo realmente. Los mencheviques, marxistas ortodoxos, eran partidarios de la colaboración con los partidos burgueses y de favorecer la implantación del poder burgués como fase previa a la revolución socialista.

Las conclusiones del congreso no fueron aceptadas por los mencheviques. No las reconocían como válidas argumentado que dicha mayoría era puramente accidental y que no respondía al sentir verdadero de los miembros del partido. Acusaban amargamente a Lenin de dar un golpe de estado y de imponer sus tesis de forma dudosamente democrática, solicitando una nueva constitución del comité central y del consejo de redacción de *Iskra*, algo a lo que Lenin no estaba dispuesto pero que muchos bolcheviques, en aras de la unidad del partido, sí. Llegaba la hora de Plejanov, de imponer su carisma de viejo jefe en las filas de aquel pequeño y revuelto partido. El maestro debía de meter en cintura al revoltoso Lenin, por quien sentía respeto y cierto miedo no confesado. Imponiendo su autoridad como figura gigante del marxismo ruso, logró convencer al comité central de la necesidad de aumentar el número de miembros del consejo de redacción de *Iskra*, introduciendo en él a varios mencheviques y dejando a Lenin como único representante bolchevique, lo que demostraba la debilidad de la influencia del líder de los «duros» dentro del partido. Lenin quedaba aislado en *Iskra* y sus tesis rebatidas una y otra vez desde sus páginas. El comité central seguía siendo predominantemente bolchevique, aunque ampliamente favorable a un acercamiento y eventual unión con los mencheviques. Derrotado y marginado, Lenin abandonó *motu propio* el comité de redacción de *Iskra*. Las preocupaciones le habían ocasionado una grave crisis nerviosa que le torturó durante varios meses.

El Lenin derrotado de finales de 1903 es un hombre aparentemente anulado. Su imagen es la de un enfermo retirado de la vida pública, decaído. Pero, a pesar de que su poder efectivo dentro del partido parecía haber desaparecido, aquella energía proverbial que siempre le caracterizó continuaba latente en las profundidades de su cuerpo débil. Dentro de la facción bolchevique su presencia espiritual aún aromatizaba el ambiente, y él era muy consciente de ello. Cuando comenzó a sentirse mejor aprovechó el tiempo para definir lentamente en torno a su persona a un buró político bolchevique que fuera guardián de las esencias, preocupándose por evitar a toda costa la contaminación menchevique. Lenin argüía que, si los bolcheviques y mencheviques se confundieran entre ellos para finalmente fusionarse, haciendo desaparecer ambas facciones, sería una catástrofe que supondría el fin del sueño de imponer un gobierno revolucionario en Rusia. Por eso aseguraba que era imprescindible mantener puro el bolchevismo, concebido de momento como una facción destacada, fuerte e incluso autónoma, dentro del partido. Si no puede tener al POSDR, Lenin tendrá a los bolcheviques. En agosto de 1904 nació oficialmente el «buró de los comités bolcheviques», organizado para evitar un acercamiento entre bolcheviques y mencheviques por el que apostaban los bolcheviques del comité central. Como facción autónoma con personalidad propia dentro del partido, algo que Lenin no aceptó cuando el Bund y otros grupos lo reivindicaron para sí, el buró bolchevique sacó su propia revista: *Vpériod (Adelante)*.

Son momentos duros para Lenin. Marginado de los órganos de poder del partido y encerrado en el círculo de sus más fervientes seguidores, el líder bolchevique comenzaba a dar una imagen sectaria muy conveniente para los propósitos de sus enemigos. Como todo hombre que se muestra fiel a sus principios en cualquier circunstancia, Lenin se había ganado muchas y muy fuertes enemistades. Los mencheviques no le habían perdonado el *coup de état* de 1903, y desde el pedestal de la ortodoxia alimentaron una campaña de anatemización de sus teorías, acusándole de innumerables errores. Plejanov, totalmente girado del lado menchevique, le tacha de autócrata, de bonapartista y de dictador. Martov llegó a escribir todo un folleto contra Lenin con el revelador título de *La lucha contra la ley marcial en el Partido Obrero Social Demócrata Ruso* y Trotski se despachó a gusto llamándole intransigente, jacobino y asegurando que sus planteamientos abocaban a la constitución de una nueva dictadura, de una nueva autocracia unipersonal. También desde el extranjero menudearon los vituperios contra Lenin. Los alemanes, la crema del marxismo mundial, criticaron abiertamente su exaltación del centralismo hablando de «absolutismo ruso», de «peligro burocrático que supone el ultra-centralismo» y de ser profundamente «antidemocrático». Rosa Luxemburgo, símbolo del marxismo alemán y autoridad mundial, aseveró que «los poderes absolutos de la dirección leninista del partido llevarían a intensificar más peligrosamente el conservadurismo que caracteriza a todo tipo de organizaciones que, como ella, son jerárquicas». En su defensa, Lenin tacha a todos ellos de ser tácitos colaboradores de la burguesía, mientras aplaude las soflamas altamente radicalizadas de un Mussolini aún socialista. Y ante las críticas de querer imponer la ley marcial dentro del partido, asevera:

> Cuando nos tropezamos con elementos inestables y perturbadores, no solo podemos sino que debemos proclamar la ley marcial. Contra la indisciplina política se necesitan leyes especiales e incluso excepcionales.

Las ideas de Lenin dibujan con claridad el totalitarismo de corte soviético que va a caracterizar el modelo de sociedad comunista del siglo xx.

En 1904 Lenin aún está muy lejos de imprimir su visión del mundo y de la revolución dentro del propio partido. Se encuentra aislado del poder, y a pesar de la formación de ese buró bolchevique que habría de reconducir a todos los miembros de su facción, el comité central sigue buscando un acercamiento con los mencheviques. Para disgusto de Lenin, se anunció la preparación de un Tercer Congreso del partido con el fin declarado de reconciliar ambas tendencias y reunificarlas de nuevo. Las cosas no iban como deseaba, sin embargo, Lenin no se arrugó. Había decidido que había que asaltar de nuevo el poder dentro del partido y eso es lo que haría.

El Tercer Congreso del partido se inauguró en abril de 1905, en Londres, y para regocijo de Lenin la gran mayoría de los mencheviques se habían negado a acudir acusando al comité central de parcialidad a la hora de acreditar la validez de las credenciales de los delegados a favor de los bolcheviques. Después de algún que otro cambio de opiniones, los bolcheviques decidieron seguir adelante con el congreso, que a fin de cuentas había sido organizado y convocado por el Comité Central y por tanto era legítimo. Así pues, un congreso lleno de bolcheviques se abrogó la soberanía de todo el partido, dando paso a unas resoluciones en las que todas las directrices ideológicas de Lenin fueron aprobadas. El hecho de que Lenin fuera el único gran dirigente dentro del bolchevismo hizo que su figura política creciera y se impusiera definitivamente dentro de la facción que, al fin y al cabo, había sido creada e impulsada por él desde el primer momento. El congreso se saldó con una victoria rotunda de Lenin y su vuelta a las primeras filas del partido. Los bolcheviques redactaron un documento haciendo un llamamiento a los mencheviques para que se allanaran a las resoluciones tomadas por el tercer congreso, reconociendo de rebote la supremacía de «la mayoría». Como era de esperar, los mencheviques interpretaron el tercer congreso como un nuevo golpe de mano de Lenin, y no aceptaron ninguna de sus resoluciones. A instancias de Trotski se reunieron en Ginebra, donde firmaron una declaración por la que no reconocían los acuerdos de Londres, dejando muy clara su intención de no apoyar a una revolución socialista sin la instauración de una etapa burguesa previa. Su objetivo a corto plazo no habría de ser la toma violenta del poder, sino la colaboración con los partidos liberales en la reforma del sistema.

El congreso de Londres acentuó, para regocijo de Lenin, la falla que separaba a bolcheviques y mencheviques. Para Lenin supuso una importante victoria, y para quienes le consideraban desahuciado, la verificación de que el vehemente bolchevique no se daría tan fácilmente por vencido. Sin embargo, la gravísima crisis interna que padecía el partido propició el inicio de una etapa de graves problemas tanto a nivel interno como externo, y en consecuencia una gran debilidad que le impidió aprovechar la oportunidad revolucionaria del año 1905. Sin embargo, el POSDR continuaba nominalmente unido y pudo participar en la primera experiencia de gobierno obrero, el soviet de San Petersburgo, a través de Trotski y los mencheviques.

A pesar de formar parte de un mismo partido, el bolchevismo dirigido por Lenin nunca contó como propios los éxitos o los fracasos de los mencheviques. Ahondando en ello, el jefe de los bolcheviques llegó a comportarse como si su facción fuera un partido. Obviaba a los mencheviques en muchas de sus acciones y se procuraba dinero que era utilizado para financiar exclusivamente las actividades políticas de los bolcheviques. Lenin consideraba que no importaba la forma de lograr el dinero si era bien utilizado, de manera que muchas veces aplicó métodos tan poco confesables como el atraco de bancos o la extorsión, acciones delictivas a las que no era precisamente ajeno un joven picado de viruela que ha pasado a la posteridad con el nombre de Stalin.

A fínales del año 1905 las bases del interior comenzaron a hacerse oír. Para un partido tan celosamente dependiente de los líderes del exilio como el POSDR, esto era una novedad y ratificaba definitivamente el hecho de que el partido era ya un elemento presente en la sociedad rusa. Los militantes del interior clamaban por hacerse oír, e incluso por obtener puestos de responsabilidad, artificialmente detentados por los exiliados. Lenin nunca fue partidario de un partido de masas, y nunca comulgó con la posibilidad de compartir la dirección con miembros del interior, pero esta vez su oposición se veía refrendada por un nuevo motivo: los militantes de Rusia reclamaban a voz en grito una unificación real entre bolcheviques y mencheviques, argumentando que era estrictamente necesario para poder hacer frente con ciertas garantías a los embates del zarismo. Las reclamaciones del interior fueron lo suficientemente sólidas como para que el comité central anunciara la organización de un Cuarto Congreso que trataría sobre la reunificación. Dicha reunión se celebró en abril de 1906, en Estocolmo, y sin numeral, ya que los mencheviques nunca reconocieron al de Londres como Tercer Congreso del partido. Se prefirió denominarlo Congreso de la Unidad. Ni tercero ni cuarto.

Viéndose superado por los acontecimientos, a Lenin no le quedaba más que tragar con el nuevo congreso. Los graves desencuentros entre las dos grandes facciones del POSDR parecieron quedar atrás con el efectista apretón de manos entre Lenin y Martov, y el congreso se saldó con un acuerdo de fusión que satisfizo a casi todos. Como consecuencia, el nuevo comité central del partido eliminó la desproporción de la representación bolchevique, dibujando una ejecutiva que contenía tres bolcheviques —Lenin entre ellos— y siete mencheviques y miembros del Bund y demás organizaciones anexas al partido. Además, se elaboró un duro comunicado reprobando las acciones delictivas consistentes en atracos y secuestros perpetrados por grupos cercanos al bolchevismo, con la advertencia directa de que quienes las practicaran o alentaran podrían ser expulsados del partido. Parecía que las cosas se estaban poniendo en su sitio y, por fin se creaba un comité central adecuado a las sensibilidades políticas reales de los miembros del partido.

Pero todo no iba a irle mal a Lenin; en contra de la opinión mayoritaria de los miembros de su facción, Lenin era partidario de la participación en las sesiones de la Duma. Los bolcheviques habían sido tradicionalmente contrarios a esto, asegurando que era estúpido tomar parte en semejante pantomima, mientas que los mencheviques eran defensores de la presencia del POSDR en el parlamento. Ahora las posiciones eran las mismas, de manera que Lenin votó junto a los mencheviques y salió triunfante una resolución por la que el partido tomaba parte en el menguado sistema parlamentario. Lenin consideraba que, aunque la Duma no era más que una burda copia de los parlamentos occidentales, las posibilidades potenciales de propaganda eran inmensas, sobre todo si los discursos del partido lograban ser lo suficientemente fogosos.

Los resultados del congreso alteraron el comportamiento del partido de cara al exterior, respondiendo más a las diferentes sensibilidades internas del partido y tomando una línea más favorable a la colaboración con los demás grupos de la cámara de diputados. Sin embargo, Lenin no cambió un ápice sus costumbres, y la advertencia contraria a la recaudación de fondos por medios ilegales fue escandalosamente ignorada, más escandalosamente aún si cabe en cuanto que el principal responsable de estas fechorías, Iosif Vissarionovich Djugasvili *Stalin*, se hallaba presente en el Congreso de la Unidad y tuvo oportunidad de conversar y conocer por primera vez a Lenin. Las consignas no cambiaron un ápice y la facción bolchevique continuó nutriéndose de las fechorías de Stalin y los suyos a espaldas de los mencheviques. El núcleo bolchevique que Lenin había creado en torno suyo seguía reforzándose a pesar de todas las resoluciones aprobadas en Estocolmo.

La primera impresión que tuvo Stalin de Lenin fue muy pobre. Hay que tener en cuenta la procedencia caucásica del primero: Georgia, una sociedad extraordinariamente violenta que aún se movía dentro de los esquemas mentales de las *vendettas* transgeneracionales y la adoración por la familia entendida como clan. La educación georgiana de Stalin había imaginado al líder bolchevique como a un ser terrible y casi inalcanzable, pero al descubrirlo calvo, bajito y charlando afablemente con todo el que se le acercara, aquella mitología se desplomó. Lenin era una persona *normal*. La mentalidad cerrada de Stalin no comprendía como un dirigente podía rebajarse a considerar como un igual a un miembro de base del partido, lo que da la medida del talante de un joven Stalin que había sido atraído al bolchevismo por su radicalismo, por sus proclamas y acciones antizaristas, más que por su ideario igualitario. Tampoco le gustó el componente humano que integraba el partido. Al contrario de lo que había esperado, la gran mayoría de los delegados estaban muy lejos de la imagen heroica que tenía Stalin. El audaz georgiano se había encontrado con un «partido de bibliotecarios» cuyas elucubraciones se perdían en asuntos teóricos, olvidándose de lo que para él era verdaderamente importante: la acción. Desarrolló una fuerte animadversión por los intelectuales con luz propia, porque dentro de ese mundo no se sentía cómodo. Dejaban al descubierto sus deficiencias culturales y su neta inferioridad a la hora de desarrollar teorías. Había pasado de ser un líder e incluso un inte-

Lenin descubrió en Stalin a un eficaz ejecutor y lo elevó a
puestos de responsabilidad gracias a su protección.

lectual[21] en su ámbito georgiano, a no ser nadie. Todo
esto le provocaba un rechazo instintivo hacia ese
mundo de intelectuales que despreciaba en voz alta
proclamándose superior, porque si no fuera por
hombres de acción como él, el partido seguiría elucu-
brando hasta el fin de los tiempos. Únicamente Lenin
se salvaba de la quema, quien a pesar de haber demostrado ser un gran intelectual era también un hombre de
acción que coincidía con Stalin a la hora de valorarla
como la labor más importante a desarrollar. Lenin
acertó a descubrir en el georgiano a un conspirador
capaz dispuesto a llevar sobre sus espaldas la ingrata
carga de los trapos sucios de la facción bolchevique.

El Quinto Congreso del partido —cuarto para los
mencheviques— se celebró de nuevo en Londres. Era
mayo de 1907, y esta vez los bolcheviques se presentaban como un grupo más homogéneo y unido en torno a
Lenin. Gracias al apoyo circunstancial de agrupaciones
marxistas procedentes de diversas nacionalidades del

---

[21] Stalin se había educado en el seminario de Gori, su ciudad natal,
donde hizo sus primeros pinitos como poeta y escritor.

Imperio ruso, muchas de las resoluciones planteadas por los bolcheviques salieron adelante, como la del «centralismo democrático», clave en los postulados de Lenin y ya explicada en páginas anteriores. El arduo trabajo de cohesionar a los bolcheviques y convencer a otras agrupaciones de la bondad de sus intenciones tuvo sus frutos y el congreso se saldó con una gran victoria de Lenin que, sin embargo, no pudo evitar una nueva resolución contra los métodos delictivos de financiación.

Stalin acudió también a este congreso. A partir de ahora se hará imprescindible, y una figura valorada al alza por Lenin, que le hará miembro del Comité Central años después, cuando los bolcheviques logren dominar el partido. De momento, sin embargo, Stalin sabe que está mal visto por gran parte de los congresistas, que lo consideran un *gangster*, una mancha en el partido. El «tenebroso georgiano», como será definido años después por Trotski, era demasiado severo, poco simpático y las veces que hacía chanzas resultaban inoportunas o cargadas de un humor muy negro. Stalin reparó en Trotski desde el primer momento. Era la primera vez que se veían y la antipatía del georgiano para con la *estrella* del soviet de San Petersburgo fue instantánea. Sus modales de suficiencia intelectual le enervaban. Lo definió como «bonito, pero inútil», y en privado aseguraba que no era más que un charlatán. Ya le disgustaba de él todo antes de entablar la primera conversación. Tampoco quiso hacerlo. Stalin hablaba sin ornamentos, empleando argumentos secos y brutales, firmes, probablemente porque era incapaz de concebir los bucles lingüísticos de Trotski, y eso le irritaba. Al fin y al cabo, Stalin no se tiró media vida estudiando, como Lenin, Trotski o Plejanov; él era un maleante de vida aventurera y modales brutales que había conocido la muerte, las ejecuciones y el ojo por ojo mientras sus compañeros de partido leían libros en una universidad para ricos. Su rol en el Caúcaso era el de un *capo* mafioso con una marcada tendencia a comportarse de forma despótica y, lo que es peor, seguro de que esa era la mejor manera de proceder. Además le divertía. Era cruel y se enorgullecía de ello. Durante toda la primera parte de su vida conoció innumerables cárceles, destierros, persecuciones y sangrientas venganzas, en gran parte provocadas por su afición al robo, los atracos, los asesinatos, los chantajes y los secuestros de niños, una práctica habitual en el salvaje Caúcaso de la época. Según testimonio de un conocido suyo de Bakú:

> Stalin se dedicaba principalmente a atracos, la extorsión de familias ricas y el secuestro de sus hijos en las calles de Bakú a plena luz del día para luego exigir un rescate en nombre de algún comité revolucionario.

La principal actividad de entrega de dinero, sin embargo, era el envío de cartas de extorsión a empresarios, que pagaban religiosamente lo que les pedía, arropado por su fama de sanguinario implacable.

La unificación de los dos sectores principales del partido no eliminó las fricciones internas. Alimentadas en gran medida por el sector más duro de los bolcheviques, que se replegaba en torno a Lenin, las tendencias secesionistas crecieron con el paso de los años. El importante descenso de las huelgas y la conflictividad política y social en Rusia entre los años 1906 y 1910 provocaron en los bolcheviques una sensación general de haber perdido la gran oportunidad revolucionaria de 1905 y en los mencheviques una marcada tendencia a abandonar o limitar en gran medida la actividad clandestina para preferir integrarse en el sistema colaborando con los partidos burgueses. Esta tendencia, cada vez más acusada en los elementos mencheviques, fue aprovechada por Lenin para lanzar la acusación de «liquidacionistas». El bolchevique razonaba que la tendencia de los mencheviques a la colaboración convertiría irremisiblemente al POSDR en un partido reformista, uno más del sistema, y eso iba directamente en contra de los objetivos de los bolcheviques. El rumbo que tomaba el POSDR no era satisfactorio para Lenin, de forma que habría que separarse o engullirlo para transformarlo en un partido bolchevique. Lenin reclamaba abiertamente el comunismo, la toma del poder por medios violentos y la dictadura del proletariado. Las desavenencias entre bolcheviques y mencheviques crecen exponencialmente y el partido vuelve a situarse en un escenario de virtual escisión. En este ambiente cobra de nuevo relevancia la figura de Trotski quien, habiendo sido aliado de los mencheviques frente a las tesis «dictatoriales» de Lenin, siempre había sabido mantener la equidistancia entre ambas facciones, manteniéndose entre dos aguas y siempre partidario de la unificación. Trotski no era menchevique, pero tampoco bolchevique, aunque el reformismo creciente de los mencheviques lo llevó a girarse unos milímetros a favor de aquéllos. Su objetivo principal seguía siendo la unificación y con este fin logró conciliar momentáneamente a ambas facciones, logrando un importante acercamiento a partir de 1910. Sin embargo, este acercamiento es efímero. Lenin en realidad no lo desea y el resurgimiento de las huelgas y los disturbios a partir de 1910 lo convence de que hay que actuar con decisión, aprovechar la coyuntura para proclamar la revolución.

La conferencia de Praga

Lenin planea sus próximos movimientos. Si quiere imponer sus tesis en el partido ha de expulsar de él a los mencheviques, pero de momento no cuenta con un número suficientemente holgado de partidarios, así que dirige sus pasos hacia una reconciliación con Plejanov. La intención de Lenin es clara como el agua: si conseguía tener a la *vaca sagrada* del POSDR a su favor, su prestigio y autoridad arrastraría con él a un buen número de incondicionales, lo que situaría a la facción bolchevique como la más favorecida a la hora de lograr mayorías. El acercamiento de Plejanov a las tesis bolcheviques fue progresivo pero fructífero. El «gran sacerdote» fue fácilmente convencido de que su posicionamiento con los mencheviques no respondía al papel que debía de jugar como maestro de todos los marxistas rusos. Además, él nunca se había sentido menchevique. La alteración de sus posicionamientos en busca de una pretendida neutralidad que hiciera de él un árbitro imparcial sobre las dos grandes familias del partido fue decisiva para alejar a Plejanov de los mencheviques y acercarlo lo suficiente a los bolcheviques como para apoyar una convocatoria de congreso largamente acariciada por Lenin. El bloque unido de bolcheviques y plejanovistas, conocidos como «mencheviques de partido», presionó al comité central para la organización de aquella nueva conferencia del partido, que fue expresamente rechazado por los mencheviques al considerar que sus promotores habían acordado previamente con los «mencheviques de partido» el sentido de sus votos y la presentación y estructuración de los asuntos a discutir. La acusación no carecía de fundamento, pero en honor a la verdad hay que señalar que la preparación de una conferencia o congreso con meses e incluso años de antelación y la búsqueda de aliados para las propuestas propias no son ningún delito, al contrario, algo perfectamente natural y comprensible. La queja menchevique escondía la sospecha de que los bolcheviques buscaban un nuevo golpe de mano para hacerse con el partido, y no iban desencaminados. Esta vez, sin embargo, la ofensiva contra Lenin tropezó con el duro escollo del apoyo de Plejanov a la iniciativa.

La conferencia se celebró en Praga a partir del 18 de enero de 1912. Su ubicación no fue ninguna casualidad. Lenin aguijoneó la hipersensibilidad menchevique con el secreto objetivo de que boicoitearan la conferencia, pero por si se les ocurría participar, para asegurarse la mayoría escogió una ciudad difícilmente accesible y una selección de invitados de lo más subjetiva. Muchos representantes mencheviques ni siquiera recibieron una misiva informándoles del lugar y la fecha del congreso, una acción malévola que intentó ser subsanada por algunos delegados que al presentarse en Praga descubrieron indignados la jugada. Tuvieron la iniciativa de preparar y enviar de urgencia numerosas cartas de invitación que, como era evidente, no llegaron a tiempo. Esta irregularidad manifiesta en el reparto de las invitaciones debía de haber invalidado cualquier intento posterior de inaugurar el congreso, pero no fue así. La conferencia se abrió, celebró y clausuró con una presencia casi completamente bolchevique. Muy lejos de reflejar las auténticas sensibilidades del partido, el congreso se mantuvo monocromático, tan solo alterado por pequeñas chispitas de otro tono representado por los *mencheviques de partido*, por lo demás con poco peso a la hora de votar. Para la historia del POSDR supuso el definitivo golpe de estado bolchevique y la apropiación completa del partido. Se puede decir, y de hecho así se considera en la historiografía sobre la revolución, que la conferencia de Praga inauguró un nuevo partido, un partido totalmente bolchevizado que solo mantenía su parecido con el anterior en las siglas. La presencia de Plejanov y los «mencheviques de partido» en la conferencia fue un hecho decisivo para legitimar a la misma como conferencia oficial del partido.✔

Como es normal, la inasistencia menchevique conllevó la victoria completa de los bolcheviques en todos los sentidos, imponiéndose el leninismo como la doctrina inspiradora del partido entero y siendo, de facto, un congreso de refundación. Un verdadero golpe de estado esta vez culminado con éxito. Los mencheviques fueron oficialmente —esta palabra es especialmente importante— declarados «obstruccionistas al desarrollo de la emancipación de la clase obrera de Rusia». Se escogió un nuevo comité central, exclusivamente bolchevique, formado —eso sí— por una mayoría de bolcheviques del interior, que exigieron vehementemente un sitio en las altas instancias de poder del partido, hasta entonces en manos de los exiliados. Lenin fue uno de los miembros del comité.

La única cesión que tuvo que hacer Lenin durante el congreso pronto dejó de estorbarle, ya que el recrudecimiento de las protestas en el interior y, en consecuencia, de la represión zarista, provocó un paulatino encarcelamiento de los miembros del interior que habían ascendido al comité central, dejando en la práctica a Lenin y sus fieles como únicos representantes de la ejecutiva de un partido que ya se estaba conformando en torno a su figura. Poco tiempo después de la clausura de la conferencia, Stalin se unió a la cúpula dirigente del partido. Lenin había situado a sus más fieles colaboradores a su alrededor en la ejecutiva de un POSRD ideológicamente leninista, de manera que los bolcheviques habían dejado de ser una facción del partido para ser el partido mismo. Un partido a la medida de Lenin. A partir de entonces, las células del POSRD del interior, que recibían las consignas emanadas del nuevo comité central, se fueron bolchevizando. Los bolcheviques robaban a los mencheviques sus bases obreras para apropiárselas.

La victoria de Lenin fue total, incluso en el asunto de la participación en la Duma, algo sobre lo que los bolcheviques siempre se habían mostrado reacios pero que fue aprobada para regocijo del gran líder. En mayo de 1912 vio la luz el primer número de *Pravda*[22] (La Verdad), diario bolchevique que se convirtió en la voz del partido y cuyo redactor jefe era Stalin, un hombre que se había ganado a pulso la confianza de Lenin y que casi sin hacerse notar había escalado puestos hasta llegar a la primera fila del partido.

El golpe de mano de los bolcheviques provocó la indignación menchevique y las protestas fueron en aumento, pero los de Lenin, apoyados por el prestigio de Plejanov y siendo así mayoría, no cambiaron su postura. Los mencheviques tendrían que acatar todos los postulados aprobados en la conferencia de Praga o salirse del partido. Una pretensión absurda, habida cuenta de que si hacían lo primero dejaban de ser mencheviques para hacerse bolcheviques. A instancias de Trotski, mencheviques y otros grupos afines se reunieron en Viena en agosto de 1912. La reunión fue organizada para intentar un nuevo acercamiento entre bolcheviques y mencheviques. Los bolcheviques fueron invitados, pero ni uno solo de ellos acudió. Desde las páginas de sus órganos de expresión ridiculizaron la iniciativa acusándola de traición y repartiendo insultos de lo más variado. Lenin dejaba bien claro que solamente aceptaría a los mencheviques si estos acataban todas las decisiones tomadas en la última conferencia. Ante ello, los mencheviques se unieron en el llamado «Bloque de agosto», un principio de escisión que contaba con su propio órgano de expresión. La ruptura

---

[22] El diario *Pravda*, conocido posteriormente por ser el órgano de expresión del régimen soviético, nace en estas fechas como diario bolchevique. Sin embargo, desde hacía un tiempo ya existía otro *Pravda* inspirado por Trotski, orientado hacia posiciones unifica-cionistas y contemporizadoras con los mencheviques. Se trata de diarios completamente diferentes.

no era oficial, pero estaba consumada. Dentro de la Duma los diputados del POSDR eran conocidos como bolcheviques y mencheviques, como miembros, *de facto*, de partidos diferentes. El partido conquistado por Lenin se llamaba ahora Partido Obrero Social-demócrata Ruso (bolchevique) y se consideraba el genuino POSDR. Igualmente, los mencheviques, sin renunciar a las siglas, funcionaban por su cuenta, negando legitimidad a la asunción bolchevique del partido. Aunque no oficializado, 1912 fue el punto de arranque de dos partidos diferentes que serán conocidos como Partido Bolchevique y Partido Menchevique. La escisión efectiva satisfacía tanto a Lenin como horrorizaba a un Trotski que soñaba con la unificación a pesar de que era testigo de la ruptura de Plejanov con los de Lenin en 1913. Los bolcheviques se habían transformado en el «pez gordo» de la familia y se impusieron en todos los campos, creciendo en apoyo popular y presencia mediante el control de todos los órganos de expresión y de organización del partido, así como de todas sus formas de financiación, legales e ilegales.

Por estas fechas Stalin fue detenido en San Petersburgo y enviado a Siberia, pero en vísperas de la revolución se encontrará de nuevo en la capital. La Guerra Mundial provocó un incremento de la represión en el interior y cayeron muchos cuadros, incluso en el exterior: Lenin, que residía por aquellos años en Cracovia, fue detenido y finalmente expulsado a Suiza, país neutral. A Trotski la guerra le sorprendió en Viena y, como Lenin, fue expulsado a Suiza, desde donde inició un azaroso viaje que le llevó, en vísperas de la revolución, hasta Nueva York pasando, entre otras ciudades, por París y la por entonces muy exclusiva ciudad de San Sebastián, donde, según sus propias palabras, «admiré el mar y me quedé espantado de los precios»[23].

---

[23] Trotski, León. *Mi vida*. Barcelona. Debate, 2006.

Lenin acogió la Guerra Mundial con una inicial ilusión y una soberbia decepción después. Consideraba a la guerra como una gran ocasión para poner en práctica las tesis antinacionalistas del marxismo, aduciendo que el sentimiento de solidaridad proletaria de los reclutas se impondría sobre sus diferencias de nacionalidad. Su decepción fue amarga cuando descubrió que tan solo su POSRD y el Partido Socialista Italiano se mantuvieron fieles a estos esquemas, mientras que el resto de los partidos marxistas europeos se unían a sus gobiernos en apoyo de la guerra imperialista. El sorprendente comportamiento de partidos tan admirados como el alemán supuso la ruptura definitiva con un modo de entender el marxismo que no le gustaba y del que renegó, definiendo como «social-chovinistas» a los partidos socialistas que apoyaban la guerra y prefiriendo desde entonces el término «comunista». Planteó la urgente necesidad de crear una nueva Internacional, la Tercera, que rompiera con los partidos socialistas. Su proyecto se hizo realidad después de la toma del poder en Rusia, pero mientras tanto ya se estaban dando pasos en esa dirección. En septiembre de 1915 se abrió la conferencia de Zimmerwald, en la que miembros disconformes del socialismo europeo rechazaron frontalmente la actitud de sus partidos, instando a los obreros a no coger las armas contra sus hermanos proletarios para desarbolar desde dentro toda la estructura de poder de los países capitalistas.

3

Doble poder

Nadie pensaba que ese día pudiera
ser el primero de la revolución.
León Trotski

CINCO DÍAS DE FEBRERO

Al igual que los años inmediatamente anteriores,
1917 se inauguró con una creciente ola de conflictividad social. El momento que tanto habían esperado los
bolcheviques —*1905 volverá*, había predicho Lenin
tras la revolución fallida— se había presentado por fin,
aunque estos aún no se habían dado por enterados.
Como en 1905, la participación de Rusia en una guerra
a gran escala había colaborado a exasperar el ánimo
del sufrido pueblo. La falta de abastos se sumaba a una
cruel leva de hijos de campesinos pobres en un coctel
explosivo que no tardaría en hacer sentir sus efectos.
Rusia se estaba cayendo a trozos, y el zar no parecía
tener ninguna intención ni siquiera de parchearla.

Los efectos de todo este amasijo de irresponsabi-
lidades se dejaron ver con demasiada claridad incluso
en las ciudades más ricas y populosas, donde se generaron largas colas de ciudadanos a la espera del
ansiado bocado que les correspondía en base a su cartilla de racionamiento. No era raro descubrir a plena luz

del día a un grupo de personas asaltando los escaparates de las tiendas de alimentación, empujados por la
necesidad. Los constantes ruegos al zar se evaporaban
en las altas instancias y los pocos que llegaban no
solían obtener respuesta alguna. Nicolás II se hallaba
por entonces en el frente, enfrascado en la magna tarea
de dirigir sus ejércitos. Para un perfecto incompetente
como él, no podía haber nada más elevado que dedicarse en cuerpo y alma al arte de la guerra, algo para lo
cual, dicho sea de paso, tampoco valía. El zar había
dispuesto que mientras se encontrara sumergido en los
asuntos de la guerra sería su esposa Alejandra quien
cubriría su puesto, por lo demás lo suficientemente
inepta como para ratificar aún con más firmeza la equi-
vocada política de su marido. Para entonces casi toda
Rusia era consciente de que el zar era un incapaz.
Algunos llegaban a más: Trotski llegó a decir de él que
era un deficiente.

El 13 de febrero de 1917 una gran manifestación
orló de banderas rojas las calles de Petrogrado. Pedían
pan para alimentar a sus familias y el fin inmediato de
la guerra. Al contrario que en enero de 1905, el himno
que salía de las gargantas de los trabajadores ya no era
el *Dios salve al zar*, sino *La Marsellesa*[24]. Las manifestaciones fueron toleradas por las fuerzas del orden,
que siguieron en silencio las evoluciones pacíficas de
una población que ya había dejado de dar muestras de
tener ningún tipo de esperanza en el sistema autocrático. Al día siguiente, 14 de febrero, la protesta ascen-

---

[24] Pese a haber sido adoptado por una nación extranjera como
himno nacional, *La Marsellesa* seguía siendo la canción que mejor
representaba el orgullo recuperado de los desheredados de la tierra.
En aquella época, y aún después de la revolución bolchevique, en
muchos países el himno nacional francés seguía cantándose como
representación de una unión con los idealizados ciudadanos que se
levantaron contra la aristocracia durante las jornadas revolucionarias de 1789 y que dieron lugar a la revolución francesa.

dió a noventa mil personas. Aquella situación era insostenible, y un zar responsable lo debía de saber.

Las reclamaciones populares pudieron ser despachadas a gusto sin represalias gubernamentales, y poco a poco fueron remitiendo. Sin embargo, esto no era más que la calma que precede a la tormenta. Con motivo del día internacional de la mujer, el 23 de febrero —8 de marzo en el calendario occidental— se organizaron en Petrogrado varias manifestaciones de muy distinto signo, con el denominador común de que estaban integradas principalmente por mujeres. Todas ellas terminaron por entremezclarse, confundiéndose el pacífico lema de «pan y paz» con otros más audaces que pedían el derrocamiento de la autocracia. La policía, de momento, se limitó a mantener el orden. Al fin y al cabo, el grueso de los manifestantes no era sino amas de casa acompañadas por sus maridos y a veces niños y abuelos que en su mayoría se quejaban de que pasaban hambre, y buscaban una solución inmediata a tan perentorio problema.

El 24 de febrero una gran cantidad de trabajadores desfiló en manifestación desde los barrios obreros hacia el centro de la ciudad. Los soldados tenían orden de defender los lugares políticamente más sensibles. Se había declarado una huelga general pacífica y esta vez las protestas fueron acompañadas por los ruegos de madres hambrientas que miraban con gesto compungido a los soldados exhortándoles a unirse a ellos. La ciudad entera se había volcado a la calle y el gentío amenazaba con invadirlo todo. Las fuerzas de seguridad, en otro tiempo más activas, dejaban que los paisanos rozaran con sus rasgados ropajes las puntas de sus bayonetas para seguir manifestándose con total impunidad. Dejaban hacer, y esto es algo que los manifestantes no dejaron de advertir. Las mujeres apelaban a su condición de madres para volver una y otra vez a acercarse a los jóvenes soldados, entablando conversación con ellos, pidiendo que se unieran a su causa, que no esgrimieran sus armas contra el pueblo. Muchos soldados titubearon, saltándose la reglamentación militar para discutir amigablemente con los manifestantes, con quienes la mayoría de ellos se sentían plenamente identificados. Cuando los obreros se toparon con jinetes armados cerrando el paso siguieron adelante, pasando por debajo de los vientres de los caballos sin que las fuerzas del orden hicieran nada para evitarlo. Algo estaba cambiando en Rusia.

El 25 de febrero las manifestaciones comenzaron a estar impregnadas de un notorio tufo político, marcado por la presencia en la cabeza de las manifestaciones de elementos de izquierda que aprovecharon oportunamente la situación para capitalizar la indignación popular. Para entonces el ambiente ya estaba derivando hacia un desenlace desconocido, y desde el propio gobierno se consideró que ya era verdaderamente desesperada. Las manifestaciones espontáneas llevaron a una situación de revolución virtual que a muchos hizo reflexionar seriamente sobre un posible derrumbamiento de toda la estructura gubernativa del zarismo. De inmediato se lanzaron consignas de firmeza contra los desórdenes, pero lejos de lo esperado, los soldados se resistían a enfrentarse al pueblo.

Tras varias horas de angustiosa espera, por fin llegaron a palacio las órdenes del zar. Eran escuetas y mostraban prisa por terminar con aquel asunto que tanto le importunaba: «Ordeno que cesen los desórdenes». Así, sin más. El zar no daba instrucciones sobre cómo hacerlo, eso recaería en los mandos políticos y militares de Petrogrado, aunque las órdenes dejaban muy claro que lo importante era cortar de raíz el movimiento popular. Eso significaba hacerlo como siempre, dar vía libre al uso indiscriminado de la violencia, del palo, de los disparos contra la población para que dejaran de protestar, como si fueran animales rebeldes.

Disparar al pueblo si hacía falta, pero que le dejaran en paz. Así y todo, eso no era lo más grave. La escueta orden de Nicolás II no hacía ningún tipo de referencia a la situación de hambre que sufría el pueblo. No le preocupaba lo más mínimo ni siquiera saber si las reclamaciones populares estaban justificadas. A uno se le ocurre que de la misma manera que había exigido el fin de los desórdenes, podía haber ordenado también el suministro de comida a la población aunque fuera una exigencia imposible, desentendiéndose también de cómo se habría de hacer. Habría sido un detalle que quizá no le habría quitado estupidez, pero sí un ápice de mezquindad.

La noche del 25 al 26 de febrero se sucedieron los primeros enfrentamientos graves entre manifestantes y fuerzas del orden. La policía abrió fuego contra un pequeño grupo de manifestantes que exigía el fin de la autocracia, pero estos, lejos de huir, contestaron lanzando adoquines. El panorama amenazaba con reproducir los graves incidente que años atrás habían puesto en jaque al gobierno ruso. Sin embargo, el enfrentamiento callejero no superó la madrugada y no se extendió.

La mañana del día siguiente Petrogrado despertó una vez más tomada por los manifestantes pacíficos. La ciudad había sido literalmente conquistada por las masas, y los policías y militares seguían observando impotentes las evoluciones de aquella rebelión espontánea. El ambiente estaba enrarecido. La oficialidad militar no ocultaba una espera tensa. Las órdenes eran bien claras: disolver de inmediato aquella demostración de rebeldía popular. Lógicamente, la forma más rápida de hacerlo era mediante el empleo de la fuerza, que quedaba a libre disposición de los oficiales si así lo consideraban. A la confraternización de los soldados con los manifestantes se opuso una tajante orden prohibiendo cualquier diálogo, manteniéndose atentos a las próximas instrucciones. En varias zonas de la ciudad se advirtió a los manifestantes de que se dispersaran, amenazándoles con disparar sobre ellos si no lo hacían. Los ciudadanos hacían caso omiso a las advertencias, dirigiendo sus súplicas a los soldados para que no escucharan las órdenes de sus oficiales. Ya la turbulenta noche anterior un cosaco había evitado que un oficial disparase contra la multitud, y eso suponía un importante precedente. Las órdenes de abrir fuego eran ya tácitas, pero los soldados dudaban. Nadie se atrevía a ser el primero que osara apretar el gatillo contra inocentes ciudadanos hambrientos. Algunos regimientos dispararon al aire, de común acuerdo, e incluso hubo un oficial que, llevado por los nervios, arrancó él mismo el fusil de las manos de sus soldados para disparar sin éxito contra la muchedumbre.

A primera hora de la tarde una división acató las órdenes, abriendo fuego contra el pueblo con un saldo de unos cuarenta muertos. Parecía que el pulso lo habían ganado los oficiales, que una vez superado el difícil escollo de la negativa o la duda de los soldados todo volvería a ser como antes, pero nada más lejos de la realidad. La acción no pasó de ser un estertor aislado que anunciaba la muerte de los viejos tiempos. Aquella misma tarde, sobre las seis, una compañía de cosacos evitó una mayor matanza enfrentándose a un grupo de soldados que disparaban contra la multitud. El propio ejército se estaba rebelando contra sus amos.

La noche del 26 al 27 de febrero los soldados dieron el paso decisivo. Compañías y divisiones enteras se amotinaron en sus cuarteles, ejecutando a sus superiores y uniéndose a las reivindicaciones populares. Es famoso el caso del regimiento Volinski, el primero que se levantó aquella noche: tras fusilar a los oficiales, juraron solemnemente que nunca más dispararían contra el pueblo, saliendo inmediatamente del cuartel y poniéndose del lado de los manifestantes. Su

Giorgi Lvov presidió los primeros gabinetes del gobierno provisional, de marcada impronta conservadora. Durante la Kornilovschina jugó un oscuro papel de recadista entre Kerenski y Kornilov, aún no del todo aclarado.

ejemplo cundió, y el día 27 de febrero los regimientos de la ciudad fueron uniéndose a los manifestantes poco a poco.

Obreros y soldados, unidos en manifestación, rodearon aquel histórico 27 de febrero el palacio Taúrida, sede de la Duma, armados hasta los dientes. Los obreros habían abierto las cárceles, dando la libertad a miles de presos políticos, y también los arsenales, repartiendo armas entre los trabajadores. Era la revolución en marcha, el pueblo en armas unido por una misma ansia y bajo una misma reivindicación. Obreros, soldados, ciudadanos anónimos... todos unidos presionando ante el palacio de la Duma, la única institución zarista que se mantenía en pie. El gobierno ya se había evaporado como por encanto y solamente quedaban los diputados de la Duma, ante quienes se presentaron los manifestantes para que, en su calidad de diputados y hombres letrados, formaran un gobierno alternativo. Sorprende el hecho de que el movimiento popular pusiera en manos de los diputados, mayoritariamente conservadores, la creación de una especie de gobierno provisional; pueden darse muchas interpretaciones a este hecho, pero lo cierto es que a ninguno de los manifestantes se le ocurrió que fuera a ellos a quienes les correspondiera tomar el poder. Al fin y al cabo, no eran más que soldados y obreros analfabetos.

Confundidos entre las reivindicaciones políticas y las puramente laborales, los manifestantes pusieron en un brete a los diputados y principalmente a su presidente, Mihail Rodzianko, a quien advirtieron que el nuevo gobierno habría de garantizar las reivindicaciones populares. Rodzianko envió un telegrama urgente al zar advirtiéndole de la seriedad de la situación, pero Nicolás II se limitó a observar contrariado que «¡Hay que ver cómo me aburre con sus tonterías ese barrigón de Rodzianko!». Sus generales se encargaron de hacerle ver que el asunto era muy grave y que requería de su presencia en la capital, un viaje obligado que le contrarió aún más. El zar ya había respondido a las anteriores noticias de tumultos populares ordenando la suspensión de la Duma, una acción ridícula que no sirvió para nada y que los miembros de la misma, ante la gravedad de los acontecimientos, acataron pero no cumplieron.

El zar decidió enviar un grupo de soldados a Petrogrado como fuerza disuasoria, pero la magnitud de los sucesos que se estaban viviendo en la capital era mucho más grande de lo que imaginaba. Los soldados fueron interceptados por destacamentos militares que les convencieron para unirse a la rebelión. La avanzadilla militar del zar se deshacía así de un manotazo, lo que obligó a Nicolás II a montarse en un tren rodeado de oficiales y lanzarse hacia Petrogrado en un viaje de ida que nunca llegaría a su destino. Los ferroviarios se encargaron de deteriorar las vías, obligando al tren del zar a hacer un largo rodeo para no poder entrar en la capital.

En esta situación, Rodzianko telegrafió una sugerencia al alto mando militar: la única manera de salvar a la monarquía y a la propia dinastía pasaba por la abdicación de Nicolás II y su sustitución por el Gran Duque Miguel, su hermano. El Gran Duque Miguel era un hombre más hábil que su hermano, se le veía más apto a la hora de asumir tareas de gobierno y contaba con la simpatía y el previsible apoyo de la aristocracia y los kadetes. El estado mayor aceptó la solución de Rodzianko como la más adecuada y en una conversación decisiva, plantearon a Nicolás II su renuncia al trono. El monarca no cabía en sí de su asombro. Desde su tosca perspectiva eso no podía responder más que a un complot contra su persona, lo que encaja muy bien con la expresiva frase que pronunció cuando montó en el tren después de su abdicación oficial en Pskov: «Estoy rodeado de traidores». Con rostro grave, Nicolás II firmó la abdicación en favor de su hermano, que no tardaría en renunciar también a la corona.

Las dudas del Gran Duque hicieron que por la urgencia del asunto, la solución monárquica se alejara definitivamente[25]. Los representantes de la Duma debían de hacer frente con urgencia a la nueva situación. En consecuencia, la Duma anunció la formación de un comité provisional formado por diputados kadetes y liberales, que tomó el poder momentáneamente para cubrir el vacío de poder. Mientras tanto, en la calle, un joven y conocido diputado izquierdista

---

[25] El 3 de marzo, el mismo día de la proclamación del primer gobierno provisional, Miguel renunció a la corona imperial.

[26] Alexander Kerenski se dio a conocer en política dentro del partido eserista. Gracias a su facilidad oratoria y sus maneras populistas, pronto adquirió celebridad pública, siendo uno de los líderes eseristas más conocidos. Sus divergencias con la línea política oficial del partido le llevaron a liderar una facción conocida como la de los *trudoviques* (laboristas), de corta vida ya que a partir de la revolución de febrero se integró de nuevo en los SR.

llamado Alexander Kerenski[26] vio la oportunidad de erigirse como representación de los obreros y soldados que habían tomado el palacio Taúrida, y lo hizo, arengándoles con ardientes soflamas solicitando la toma de los centros neurálgicos de la ciudad: correos, telégrafos, centros de gobierno... y a extender el movimiento por todo el Imperio. La revolución ganó su primer jefe y se generalizó. Inmediatamente, carros de combate adornados con la bandera roja ocuparon los centros de control, que cayeron sin resistencia. Toda la guarnición de la ciudad, unos ciento setenta soldados, se había unido ya a la revolución, y las resistencias de un puñado de militares fieles al zar fueron fácilmente sofocadas. El gobierno hace tiempo que había puesto pies en polvorosa y de no ser por la eficacia y rapidez de la Duma, la situación de desgobierno habría sido total.

Al mismo tiempo que se formaba el Comité Provisional de la Duma, Kerenski se unió al carro de la resurrección del mítico soviet de San Petersburgo que unos obreros concienciados ya habían comenzado a formar como germen de un gobierno obrero. El soviet se erigió como el único poder de facto; era a este a quien obedecían obreros y soldados y el Comité Provisional era muy consciente de ello. El sostén del soviet era vital para garantizar la existencia del Comité, y podía haberlo sustituido como futuro gobierno, pero el soviet nunca se vio a sí mismo como poder convencional. Nació con la idea de ostentar la representación de las clases populares y ser el vigilante del futuro gobierno provisional que se formaría a partir del Comité de la Duna, pero no aspiraba a más. Acatarían al futuro gobierno a cambio de una serie de reivindicaciones mínimas, como la formación de una asamblea constituyente, amnistía y libertades democráticas. Eso era interpretado como un gran triunfo de la clase obrera. Más tarde Lenin habría de ser el primero que criticara ampliamente la política de segundón de un soviet que tenía el poder real y lo cedía mansamente a un gobierno burgués.

Kerenski logró de Rodzianko una sala dentro del palacio Táurida como sede del soviet, para así darle más apariencia de oficialidad y asegurar su legitimidad, algo que las altas instancias bolcheviques del exterior desaprobaron, despreocupándose por la evolución del soviet, como habían hecho hasta entonces. Como consecuencia, mencheviques y eseristas dominaron el soviet de Petrogrado, dando forma a la futura colaboración con el Comité de la Duma, dominada por kadetes y octubristas. Comenzaba a formarse un sistema dual estructurado en un gobierno liberal controlado muy de cerca por un soviet poderoso con competencias oficiales. Al anochecer de aquel último día de la revolución de febrero, el soviet de Petrogrado, renombrado como Soviet de Diputados Obreros y Soldados, anunció solemnemente a todo el país la organización de consejos de obreros, soldados y campesinos por toda la geografía rusa y el establecimiento de su autoridad sobre todas las unidades militares de Petrogrado y aún de Rusia, poniéndoles alerta frente a posibles ataques de tropas leales al zar y estableciendo comités militares subordinados al soviet, con preferencia sobre las órdenes del futuro gobierno provisional. El soviet se aseguraba así una preeminencia entre los militares por encima del mismo gobierno. La revolución comenzaba a asentarse de una forma ya más o menos definida. El soviet no aspiraría a tomar el poder, pero a cambio tendría una relación privilegiada con el futuro gobierno como garante de las libertades y derechos obreros, formándose una comisión especial de contacto y control con el gobierno provisional.

La mañana del 28 de febrero las migajas de soldados fieles al zar fueron definitivamente suprimidas. La revolución había triunfado, rompiendo en un suspiro con una tradición autocrática de siglos para iniciar un nuevo rumbo republicano. El movimiento se expandió con facilidad por toda Rusia y pronto se hizo patente que la autocracia era un gigante de humo. La monarquía se evaporó sin batalla y con ella todo el sistema que la mantuvo artificialmente durante tantos años. Con fecha 3 de marzo de 1917 la obsoleta monarquía de los Romanov dejaba paso a un gobierno provisional nacido para cubrir el vacío de poder. Su primer anuncio fue la futura celebración de elecciones para la formación de una asamblea constituyente, para lo cual habrían de cambiar la ley electoral.

Con el visto bueno del soviet y el apoyo y control de este, el 3 de marzo de 1917 se proclamó un gobierno que remarcaba conscientemente su interinidad con el epíteto de «provisional» formado por los diputados de la Duma y directamente dimanante del Comité Provisional creado al efecto. El gabinete se formó en su totalidad con ministros conservadores, a excepción de un solo representante de la izquierda, Alexander Kerenski, que se estrenaba en las tareas gubernamentales con una modesta cartera de Justicia. Giorgi Lvov fue proclamado primer ministro y Pavel Miliukov, kadete y verdadero hombre fuerte del nuevo gobierno, ocupaba el ministerio de Asuntos Exteriores. Se había formado un gobierno controlado por el soviet de izquierdas, y con ello un doble poder en Rusia, pero al menos, los conservadores sabían que habían salido indemnes de la revolución y que mantenían la titularidad del gobierno.

La nueva estrategia

El derrumbe de la monarquía y la implantación de un gobierno provisional conservador, pero con un maravilloso sabor republicano, fueron celebrados con entusiasmo por las calles de toda Rusia. Desconocidos transeúntes se abrazaban y se felicitaban mutuamente, y coches y camiones con banderas rojas martilleaban los oídos de la concurrencia a bocinazos en apoyo a los nuevos y excelentes tiempos que se presagiaban. El ambiente general era de júbilo, de satisfacción general, de libertad recién estrenada. Rusia había dado un paso histórico: quitarse de encima la pesada carga de la autocracia que atenazó durante tantos siglos a innumerables generaciones de rusos. Hizo falta tan solo un golpe para que los grilletes podridos, pero aparentemente fuertes, de la autocracia rusa, quedaran reducidos a polvo. Nadie lloró la suerte del zar; una reacción de rebote por las pocas veces que él había llorado la de su pueblo.

El «olvido» de la familia real no fue compartido por las altas esferas del nuevo gobierno. Los Romanov seguían siendo una pieza importante en el tablero político, un as en la manga que había que conservar para el futuro. En consecuencia, y muy al contrario de lo que el zar esperaba, la familia real fue preventivamente detenida por el gobierno provisional a instancias del soviet, y recluida en el lujoso palacio de Tsarjoie-Selo. Nicolás Romanov, que ya no Nicolás II, ni siquiera tuvo tiempo de enjugarse las lágrimas que le produjo su patética abdicación: para cuando comenzó a pensar en un tranquilo reposo con su familia en una casa de campo en Crimea, recibió la fatal noticia de su detención. Para él resultaba totalmente injusto y hasta arbitrario lo que estaban haciendo con él y su familia. Después de despojarle de su legítimo patrimonio, Rusia, le estaban despojando de su libertad. Intentó negociar un exilio en el Reino Unido, donde no dudaba

---

[27] Las esperanzas del zar se habrían visto truncadas de todas maneras, puesto que tanto el gobierno británico como el propio Jorge V no estaban dispuestos a acoger a un zar con el que no querían que les relacionaran.

de que su primo Jorge V le acogería sin reservas, pero no fue autorizado[27]. Muy a su pesar, los Romanov tuvieron que amoldarse a las exigencias de una lujosa cautividad.

El gobierno provisional tenía asuntos más importantes que hacer que preocuparse por el bienestar material de la familia imperial, el más perentorio de los cuales no era otro que asentar definitivamente el poder que la revolución le había otorgado. Eso pasaba inexcusablemente por la acotación de la tutela del soviet. Como observó muy agudamente Trotski, «los soviets tenían la fuerza, pero no el poder. Mientras que la burguesía tenía el poder, pero no la fuerza». Los miembros del gobierno tenían conciencia clara de la enorme inestabilidad de su posición, de que el pueblo acataba sus resoluciones porque el soviet lo consentía, pero solo por esa razón. Ahora debían de asentarse de tal manera que fueran vistos desde el pueblo como un poder por sí mismo. Ese era el primer paso hacia la consolidación del gobierno de la derecha, por ahí tendrían que dirigir sus pasos y en esa dirección fueron muchos octubristas y kadetes hasta llegar a conclusiones poco democráticas: muchos comenzaron a hablar de que la solución a los desórdenes y a la tutoría soviética era la ascensión al poder de un «hombre fuerte» que actuara con mano de hierro y plenos poderes. Una idea que de momento se estaba perfilando, pero que ya tendrá tiempo de salir de los salones de las clases altas para poner en jaque los logros revolucionarios.

Los primeros momentos de la revolución fueron confusos tanto en la calle como en el contenido de las reivindicaciones populares. Cada cual se sentía con derecho a reclamar sus propias exigencias, de manera que al soviet y al gobierno provisional arribaron una ingente cantidad de quejas, ideas y soluciones, tanto desde particulares como desde diferentes entidades y colectivos que, libres de la opresiva atmósfera política de la autocracia, exigían la imposición de medidas de lo más variopinto. Muchos campesinos se lanzaron a tomar las tierras por su cuenta, pensando ingenuamente que las autoridades estarían de su parte. De nuevo el caos amenazaba con hacerse dueño del Imperio ruso; el doble poder debía de dar respuesta urgente a estos asuntos antes de que la situación volviera a hacerse ingobernable. Así pues, la primera declaración de intenciones del gobierno provisional anunció un paquete de medidas vagamente revolucionarias, pero lo suficientemente satisfactorias para el grueso del pueblo e incluso para el soviet. Controlados por eseristas y mencheviques, los soviets que iban surgiendo por toda Rusia estaban dispuestos a tolerar la introducción de las medidas necesarias para la instauración de una democracia burguesa, y de colaborar con ella antes de hacer una revolución socialista que se aplazaba *sine die*. El gobierno, pues, pudo gozar de una libertad considerable a la hora de aplicar las reformas anunciadas. Poco después de su constitución decretó una amplia amnistía que sancionaba la libertad de los presos políticos —muchos de ellos previamente liberados durante los cinco días de la revolución—, decretó libertades individuales como las de prensa y reunión, comenzó a repartir tierras entre los campesinos con más intenciones que acierto, abolió la pena de muerte, creó comités de enlace y juntas de arbitraje en las fábricas para asegurar el control a los patronos, imponiendo en algunos casos la jornada de ocho horas[28], y anunció la esperada convocatoria de elecciones para la formación de un nuevo parlamento y un nuevo gobierno, aunque aún no tenía ni fecha ni modo de

---

[28] La jornada de ocho horas era una novedad demasiado repentina para que los patronos lo acogieran sin protestas. Si bien en Petrogrado se logró un importante éxito, en otras ciudades la introducción de la medida tuvo un éxito muy irregular.

hacerlo. Tan solo en uno de sus puntos friccionó con el sentir mayoritario del pueblo: continuaría la guerra. Rusia había contraído demasiados compromisos con sus aliados en la guerra europea y no podía abandonarla unilateralmente. Esta noticia sentó como un jarro de agua fría en grandes sectores de la población. Lenin, observador desde el extranjero de todo lo que acontecía en su país, extrajo sabrosas conclusiones: «La guerra es lo mejor que le puede pasar a la revolución», dijo. Mientras kadetes, eseristas y mencheviques apoyaban la guerra[29], Lenin había encontrado una manera de conectar su partido con las aspiraciones del pueblo: la paz. Aunque hubiera que firmar una paz humillante. Paz, paz y paz. Eso era lo único que comprendían las clases populares, que deseaban el retorno de sus hijos a casa. Y eso es lo que exigieron vehementemente los bolcheviques al gobierno provisional. Comenzaba a abrirse una brecha que fue separando a los bolcheviques del resto de los partidos. Una brecha que quizá marginaba a los de Lenin con respecto al resto del arco político, pero los acercaba mucho al anhelo del ruso medio.

Como consecuencia de la amnistía decretada por el gobierno provisional, un buen número de activistas bolcheviques, como Stalin o Kamenev, fueron liberados de su destierro en Siberia. En marzo ya se encon-

---

[29] Los liberales (kadetes y octubristas) eran partidarios de la continuación de la guerra como hasta entonces. Sin embargo, eseristas y mencheviques, representantes principales del soviet, preferían mantener el estado de guerra de manera defensiva, sin romper con los aliados y limitándose a defenderse de los ataques enemigos. Dentro del sector menchevique Martov se destacó por unirse, por una vez, a los bolcheviques en la reclamación de una paz a toda costa. Su pequeño grupo de «pacifistas» fue conocido como el de los «mencheviques de izquierda» y representó una corriente minoritaria dentro del menchevismo, crítica con el rumbo «burgués» que estaba tomando el partido.

traban en la capital, y el partido comienza a reestructu-
rarse. Atraídos por los nuevos aires de libertad, los
exiliados también hicieron su aparición: Plejanov se
presentó a principios de abril, siendo recibido en la
estación de Petrogrado en olor de multitudes. Y por
supuesto, también Lenin, abandonando su plácido
exilio en Zurich, para presentarse, también con un
apoteósico recibimiento, en la estación de tren de
Petrogrado.

El líder bolchevique llegaba precedido de una
aureola de misterio debido a su oscuro viaje en un tren
sellado[30] que, pasando por Alemania y Escandinavia,
llegó a Rusia con la curiosa mercancía de una treintena
de revolucionarios rusos. El hecho de que los viajeros
contaran con un salvoconducto expedido por las autoridades alemanas para recorrer libremente su territorio
hizo saltar la hablilla de que Lenin era un agente del
kaiser enviado a Rusia con la consigna de desestabilizar el país. Aunque todavía hoy hay quien sostiene que
actuó a sueldo de Alemania, parece comprobado el
hecho de que no fue así, ni siquiera si algún día se
demostrara que el Partido Bolchevique fue parcial-
mente subvencionado con dinero alemán. Lenin no
hacía ascos a ningún modo de financiación, viniera de
donde viniera, y no es difícil imaginarlo aceptando
gustoso la aportación germana a cambio de hacer lo
que de todas formas iba a hacer. Al gobierno alemán le
interesaba mucho introducir revolucionarios en Rusia
para reforzar la inestabilidad interna y la desmoraliza-
ción de los soldados, así que ofreció todas las facilida-
des del mundo a Lenin y sus compañeros para,
pasando por zona alemana y evitando zonas de guerra,
llegar a Rusia sin problemas.

---

[30] Las puertas del tren fueron precintadas, aunque una de ellas se
mantuvo abierta para los pasajeros corrientes.

El retorno de Lenin suponía la vuelta de un revolucionario a tiempo completo, dispuesto a dar de una vez por todas el golpe de timón que necesitaba la revolución socialista, aunque como refiere Simon Sebag Montefiore[31], su imagen, pertrechado de un «sombrero de fieltro, su traje de tweed y su paraguas burgués» aparentaba más la de un correcto *gentleman* que la de un rebelde. El retorno de Lenin a Rusia se transformó en un acontecimiento de dimensiones casi proféticas. Su nombre era mítico para los bolcheviques del interior, siendo también aclamado por todos los representantes del soviet, en su mayoría mencheviques y eseristas. Pero Lenin no llegaba con intenciones de repartir abrazos y parabienes, sino para poner orden en sus filas y hacer la revolución. Lejos de ser agradables, sus primeras palabras sonaron muy ásperas para los oídos de Kamenev, que se adelantó para recibirle en el mismo vagón donde se encontraba el líder. Lenin le espetó: «¿Qué cosas ha estado escribiendo en Pravda? Leímos algunos de sus artículos y, para decírselo francamente, hablamos mal de usted». En cuanto se bajó del tren criticó con ira la colaboración con los dirigentes del soviet que los bolcheviques habían llevado a cabo en su ausencia, y censuró esta política tachándola de traidora y cobarde. Los bolcheviques no podían seguir colaborando con el soviet, y de rebote con el gobierno provisional, tal y como estaban haciendo eseristas y mencheviques; la línea a adoptar era la ruptura total con el gobierno burgués y con la izquierda que lo sostenía, los mencheviques y eseristas. Ahora que aún era débil, no era prudente dejar que el sistema se estabilizara, porque sino se perdería la oportunidad de hacer la revolución socialista. La solu-

---

[31] Sebag Montefiero, Simon. *Llamadme Stalin. La historia secreta de un revolucionario.* Crítica, Barcelona, 2007, Pág. 399.

ción de Lenin fue magníficamente acuñada cuando lanzó la famosa proclama de «Todo el poder a los soviets», en referencia a que era perentorio eliminar el sistema de doble poder y dejar solamente uno: el legítimo, el genuino poder de las clases populares y trabajadoras. En consecuencia, los soviets debían de hacerse con el poder, expulsando de la poltrona a la burguesía que en forma de gobierno provisional controlaba los resortes del estado. Los soviets, lejos de apoyar al gobierno de Lvov, habrían de volverse contra él para derrocarlo. Estaban en condiciones de hacerlo.

La proclama de Lenin, recogida para la posteridad con la denominación de *Tesis de Abril*, cayó como un jarro de agua hirviendo tanto en los sectores mayoritarios del soviet como dentro de las propias filas del Partido Bolchevique. Suponía un cambio de rumbo demasiado radical como para que los principales inspiradores de la política anterior fueran capaces de asimilarla sin cierto regusto amargo. Plejanov, muy alejado ya de Lenin, despotricó públicamente contra él acusándole de querer romper la unidad de la izquierda, y la mayoría del partido acogió con frialdad las propuestas de Lenin. Para muchos bolcheviques del interior, la aplicación de las Tesis de Abril no repercutiría en nada beneficioso para el partido, porque lo postergaría con respecto a los demás, que habían aceptado el sistema y estaban creando juntos unas nuevas reglas de juego. La postura de Lenin condenaba a los bolcheviques a mantenerse solos, a marginarse voluntariamente del juego político y, en consecuencia, a la autodestrucción. Por eso sus ideas no fueron aceptadas en un principio y tan solo Stalin y un pequeño grupo de fieles bolcheviques se unieron en seguida a la cruzada leninista. A pesar de haber dado impulso a la participación y colaboración del Partido Bolchevique en las estructuras y decisiones de la ejecutiva del soviet, Stalin fue uno de los pocos que se pasaron casi de inmediato al lado de Lenin en la nueva dirección política a aplicar. Gracias a su colosal trabajo entre bastidores, muchos otros bolcheviques fueron sumándose a las tesis de Lenin. Con más que justificada satisfacción, Lenin llegó a decir de él que «es una figura imponente. Se le puede asignar cualquier tipo de tarea».

Las Tesis de Abril fueron rechazadas en la primera reunión del comité bolchevique de Petrogrado. Sin embargo, las presiones de Lenin contra el gobierno provisional hicieron mella dentro del soviet, que forzó un cambio de gobierno. El nuevo gabinete repetía presidente en la persona de Giorgi Lvov, pero incluía a un total de ocho ministros izquierdistas —eseristas y mencheviques— y un cambio de cartera para Kerenski, que accedía así al importantísimo ministerio de Guerra y Marina. La izquierda adquiría peso en el gobierno, un hecho que eseristas y mencheviques esperaban que obligara a cerrar la boca de una vez por todas a Lenin, que actuaba dentro del soviet como zorro en gallinero. Sin embargo, lejos de acallar su voz, el cambio de gobierno reforzó los argumentos que acusaban a la izquierda no bolchevique de venderse a la burguesía, colaborando con ella a cambio de prebendas y dejando de lado las aspiraciones revolucionarias. Los hechos parecían dar la razón a los más duros, y a finales de abril los postulados de Lenin triunfaron en la Conferencia del Partido Bolchevique de toda Rusia, adoptándose como línea oficial del partido. Quedaba así sancionada una nueva estrategia y un nuevo lema: «Todo el poder a los soviets». Se apostaba así por la conquista del gobierno y la formación de un poder obrero que expulsara a los burgueses.

La táctica de Lenin era magnífica. Por un lado, la guerra jugó un papel estelar que situó a los bolcheviques como abanderados de las reivindicaciones populares más sentidas. El gobierno provisional no podía poner fin a la guerra de una forma inmediata debido a las responsabilidades internacionales que había adquirido, un hecho que los de Lenin supieron explotar oportunamente. Por otra parte, el frontal rechazo de los bolcheviques al gobierno provisional, y su disposición a luchar contra él hasta derrocarlo, colocaba a eseristas y mencheviques en el campo de la contrarrevolución y por tanto, como traidores a la clase obrera. Esa era la visión que los bolcheviques habían adoptado oficialmente en su conferencia y la que lucharían por exportar a los campos y ciudades de toda Rusia: solamente los bolcheviques eran verdaderos revolucionarios. Pero la conferencia también generó un nuevo comité central, que instauró definitivamente a Lenin como líder, rodeado de sus más íntimos colaboradores, como Stalin o Zinoviev. En menos de un mes, Lenin había convertido al bolchevique en un partido dinámico, alerta y con una intención clara de tomar el poder; altamente consciente de que para ello habría de librar una guerra a muerte contra el gobierno provisional y sus lacayos eseristas y mencheviques.

La llegada del mítico líder del soviet de 1905, León Trotski[32], el 4 de mayo de 1917, fue celebrada con una recepción comparable a las que se habían dispuesto para Lenin o Plejanov, pero para disgusto de la mayoría de los representantes del soviet, el líder revolucionario sorprendió a todos adhiriéndose a las Tesis de Abril. Su unión a la línea dura de Lenin le restó simpatías entre eseristas y mencheviques, pero jugó una baza muy importante en el reforzamiento de la supremacía de Lenin dentro del propio partido. Trotski seguía manteniendo gran predicamento entre muchos bolcheviques y su sintonía con Lenin no podía ser de recibo. Denunció a los mencheviques como

---

[32] Un retorno ciertamente accidentado. Fue detenido en Halifax por las autoridades británicas e internado en un campo de prisioneros, siendo finalmente liberado por los buenos oficios del soviet.

colaboracionistas, iniciando un derrotero de discursos que le ganaron de nuevo el favor de Lenin, asegurando a voz en grito que el nuevo gobierno de coalición derecha-izquierda era una «captura del soviet por la burguesía» mientras advertía que la única solución era ponerse del lado de Lenin. Trotski se fue acercando cada vez más al Partido Bolchevique hasta que finalmente, considerándolo como la única opción revolucionaria genuina, se unió a sus filas. Con él se integró un pequeño grupo de revolucionarios conocidos como «mezhraiontsi» o «demócratas unificados».

El nuevo gobierno no alteró su política con respecto a la guerra. La integración de ministros izquierdistas y el apoyo del soviet parecían garantizar que la política militar quedaba definitivamente legitimada de cara al pueblo. En junio de aquel revuelto 1917 se celebró el Primer Congreso de los Soviets de Toda Rusia y, como era de esperar, las tesis partidarias del apoyo al gobierno se impusieron con facilidad. No en vano eseristas y mencheviques lograron 285 y 245 delegados respectivamente, contra 105 para los bolcheviques. Era un paso más hacia el asentamiento definitivo del sistema de doble poder. La esperable derrota del partido de Lenin hacía que el lema de «Todo el poder a los soviets» comenzara a sonar hueco, ya que resultaba evidente que los propios soviets no deseaban el asalto al poder. Sin embargo, los bolcheviques no se arredraron. Habían aprobado como línea de actuación la conquista de los soviets y en su defecto, la toma lisa y llana del poder, y eso es lo que estaban dispuestos a hacer. Con Lenin al frente, el bolchevique era un partido obsesionado por hacer la revolución.

Reforzado por el Congreso, la ejecutiva del soviet de Petrogrado concedió un amplio margen de confianza al nuevo gobierno provisional, y aunque se aprobó una resolución a favor de la paz, las tesis pacifistas radicales de los bolcheviques fueron marginadas

en beneficio de la búsqueda de un acuerdo con los aliados para lograr juntos un alto el fuego, muy en la línea
de lo que predicaba el gobierno provisional. A efectos
prácticos, el apoyo del congreso de todos los soviets de
Rusia a la política guerrera del gobierno se tradujo en
una ofensiva periodística y publicitaria que presentó a
bolcheviques y anarquistas como marginados que rene-
gaban voluntariamente del nuevo sistema político que
con tanto tesón estaban construyendo los demás partidos. Los de Lenin, sin embargo, seguían explotando el
argumento del fin inmediato a la guerra como contra-
peso de la ofensiva soviético-gubernamental. La guerra
era por aquellos momentos un argumento político de
demasiado valor como para que el gobierno provisional y los sectores mayoritarios del soviet no intentaran
llevarla a su terreno, y por esa razón el soviet se hizo
eco de una propuesta de congreso por la paz lanzada
por los partidos socialistas de Alemania, Dinamarca y
Holanda. Anunció a bombo y platillo el inicio de las
gestiones para la celebración de una conferencia de
partidos socialistas en Estocolmo, con el objetivo de
llegar a un acuerdo común y parar la guerra. Pero el
proyecto fue incapaz de superar las suspicacias mutuas
entre partidos de las diferentes nacionalidades enfrentadas en la guerra, y nunca llegó a celebrarse. Los
propios gobiernos implicados en la conflagración
también cooperaron a dificultar la organización de la
nonata conferencia y en muchos casos, como el francés, el italiano o el norteamericano, llegaron a anunciar
que negarían el pasaporte a sus delegados.

El fracaso de la conferencia de Estocolmo supuso
un claro traspiés para eseristas y mencheviques, sus
principales impulsores, y de rebote prestigió la posición de los bolcheviques ante el pueblo. Lenin había
deseado ardientemente el fracaso de Estocolmo,
porque un acuerdo de paz habría privado a los bolcheviques de su principal argumento para desprestigiar al

Alexander Kerenski lee en su despacho. El histriónico eserista supo canalizar el impulso revolucionario a favor de sus intereses personales hasta alcanzar la titularidad del gobierno provisional.

gobierno y a los mencheviques y eseristas, mayoritarios en el soviet. Ahora lo tenía y supo aprovechar la ventaja. Proyectó la idea de que los partidos socialistas colaboraban con la burguesía, cometiendo así una flagrante traición a la clase obrera. El pueblo ya no podía fiarse más de los «*socialchovinistas*», como los definió Lenin, si quería romper las ataduras del mundo burgués y disfrutar de las bondades de la nueva fase socialista de la humanidad. Al mismo tiempo, la desaparición de una importante esperanza para acabar con la guerra y la decidida continuación de la política militar del gobierno, conllevó un efecto rebote en los soldados y el pueblo, que tenían la horrible sensación de que nadie les libraría nunca de la guerra. Como consecuencia, un importante número de soldados y obreros abandonaron las filas eseristas y mencheviques a favor de la política de acción seguida por los bolcheviques. La estrategia definida por Lenin en las Tesis de Abril, lejos de marginar políticamente al bolchevismo, forjó el milagro de que sus 20 000 afiliados de febrero se convirtieran en 80 000 en abril y más de 200 000 a finales de julio. A pesar de que frente a eseristas y mencheviques seguían siendo una minoría clara, ningún partido creció tan aceleradamente como el bolchevique. Se estaban convirtiendo en un pequeño gran poder en la sombra, mucho más presentes en las calles que en las instituciones. Un ejemplo claro de esto se dio el 9 de junio, cuando los marineros de Kronstadt, inflamados por la propaganda bolchevique, convocaron una manifestación contra el gobierno y su política militar. Sus lemas eran los del bolchevismo: «¡Abajo la Duma, abajo los ministros capitalistas, todo el poder a los soviets. Pan, paz y libertad». La manifestación fue prohibida taxativamente por la mayoría eserista-mencheique del soviet, que no estaba de acuerdo en los tres primeros lemas y aplicaba a medias el cuarto. Los bolcheviques prefirieron contemporizar y acataron la prohibición, que no venía del gobierno sino del soviet. Pero, a pesar de las apariencias, los bolcheviques fueron los triunfadores de aquel envite. No tenían más que poner el grito en el cielo denunciando que ahora era el soviet quien prohibía manifestaciones obreras; todo un filón que los de Lenin supieron aprovechar a su favor. Como forma de expiación, una semana más tarde el soviet anunció una huelga. Después de la jugada bolchevique, necesitaba recuperar su ascendencia sobe el pueblo, pero los bolcheviques supieron manipularla, encabezándola y logrando que la gente coreasen sus lemas. Los bolcheviques demostraban así su intención de hacerse dueños de las calles.

RETORNO A LA CLANDESTINIDAD

Julio se inauguró con una serie de conflictos específicamente organizados para generar inestabilidad. Las huelgas de los bolcheviques terminaban casi siempre en escaramuzas con la policía o con otros grupos izquierdistas, generalmente mencheviques y anarquistas. Para los bolcheviques, todo esto respondía a una necesidad estratégica, ya que generar el caos en las calles era una forma de desenmascarar la política *colaboracionista* de la izquierda no bolchevique y demostrar que los únicos que se atrevían a enfrentarse al gobierno en defensa de los intereses de la ciudadanía eran ellos. Lograron avivar el descontento latente en grandes masas de la población. Para Lenin aún no había llegado el momento de la toma del poder, las cosas no estaban bien definidas, pero el terreno se estaba preparando con un buen abono. Sin embargo, los acontecimientos corrieron más rápido, y aquel mes de julio de 1917 se desató el caos. Lenin lo interpretó como un error, como un acto de ataque antigubernamental prematuro que llevaría a los bolcheviques al aislamiento jurídico, y en consecuencia lo intentó moderar. La cosa comenzó con una serie de violentas huelgas azuzadas por los bolcheviques de base, que no hacían más que seguir las instrucciones que emanaban del Comité Central. Se les fue de las manos. La fracasada ofensiva rusa en Galitzia[33], ideada por el ministro Kerenski, hizo cundir el desánimo en unos soldados ya de por sí muy poco dispuestos a luchar, y aquello encendió la mecha. Varios regimientos militares de Petrogrado se amotinaron tras el lema «Abajo Kerenski», ahora ministro de Guerra y uno de los hombres fuertes del nuevo gobierno Lvov. El hecho de que los militares se rebelaran tan violentamente contra su ministro, un representante del soviet, fue perfectamente interpretado por este como un peligroso avance de las proclamas bolcheviques dentro del ejército. Los soldados estaban furiosos con Kerenski, a quien consi-

---

[33] Región polaca que en aquellos momentos formaba parte del Imperio austro-húngaro.

deraban responsable de la catástrofe de Galitzia, y reclamaban el fin definitivo de las hostilidades. Las principales amenazas que se coreaban iban dirigidas precisamente contra los miembros izquierdistas del gobierno provisional, lo que dejaban bien a las claras la impronta bolchevique en todo este asunto.

El 4 de julio, cientos de obreros y soldados que enarbolaban banderas rojas y todo tipo de armamento, desfilaron amenazantemente por el centro de la capital en lo que parecía una nueva revolución, un levantamiento bolchevique contra el gobierno. Con la colaboración de los Guardias Rojos[34], los soldados y obreros se hicieron dueños del centro de Petrogrado. Carros blindados y camiones militares cargados de soldados armados fueron arribando frente a la sede del soviet, que fue rodeada entre gritos exigiendo la ruptura con el gobierno provisional y la toma definitiva del poder. *Todo el poder a los soviets.* Los manifestantes hicieron llegar al Comité Central del Partido Bolchevique una solicitud para liderar el movimiento y exigir directamente al soviet que tomara el poder y rompiera definitivamente con la república burguesa, evitando su cristalización. No obtuvieron respuesta. El Comité Central bolchevique no podía, después de las proclamas que había lanzado, repudiar al movimiento pidiendo a los manifestantes que se fueran a sus casas, pero tampoco se atrevía a liderarlo oficialmente. La situación aún no estaba suficientemente madura y esta decisión podría conllevar graves repercusiones al partido. Lenin, que se encontraba en Finlandia recuperándose de una de sus periódicas crisis de salud, montó en cólera en

---

[34] Los Guardias Rojos o Guardia Roja eran grupos de trabajadores armados que se organizaron con el fin de defender la revolución. Ya habían surgido durante los hechos de 1905 en barrios obreros como un esbozo de guardia policial-militar. La mayoría de ellos eran bolcheviques.

cuanto le llegaron las noticias de los hechos de Petrogrado.

Los aprietos del soviet se dejaron sentir profundamente en el seno del gobierno provisional. Las reclamaciones de los manifestantes provocaron la dimisión de tres ministros kadetes, generando una peligrosa crisis de gobierno que, bien administrada por los revolucionarios, podría haber conllevado cambios muy interesantes. Mientras tanto, el soviet, rodeado e invadido por fuerzas agresivas que le exigían tomar de inmediato el poder, temía que las amenazas de los manifestantes sobrepasaran la delgada línea del respeto. Para prueba un botón: Viktor Tchernov, el ministro de agricultura del gobierno provisional, eserita y miembro del soviet, fue sorprendido a la entrada del edificio por soldados radicalizados que lograron introducirle entre forcejeos dentro de un coche. Quiso la providencia que apareciera por allí Trotski, a quien no se le había escapado aquella escena escondido entre el bullicio, y poniéndose frente al vehículo pidió silencio con un gesto de la mano y habló: «Todo aquel que desee que se cometa un acto de violencia contra Tchernov, que levante la mano». Nadie se movió. «Ciudadano Tchernov, está usted libre», atronó Trotski, y un Tchernov descolorido de terror escapó a la carrera.

La anécdota del frustrado secuestro del ministro de agricultura aumentó si cabe la imagen que el gobierno quería tener de la tutela bolchevique en los tumultos. Animados desde el gobierno, los rumores de que Lenin era un agente alemán se expandieron como el rayo. El ejecutivo fue rápido y sacó a la luz una serie de documentos que, falsos o no, atestiguaban la entrada de dinero alemán en las cuentas del Partido Bolchevique. De nuevo sobrevolaba la sombra de la traición sobre Lenin. Los rumores de haber sido manipulados por traidores debilitó la decisión de los manifestantes. A esto se unieron otros rumores, también difundidos por el gobierno y esta vez de veracidad perfectamente verificable, de que unidades militares fuertemente pertrechadas se dirigían desde el frente en dirección a la capital para liquidar el movimiento revolucionario. Con este panorama y sin líderes efectivos, el movimiento que puso en jaque al soviet y complicó la existencia del gobierno se desinfló él solo, siendo finalmente liquidado por los soldados fieles al gobierno. El 5 de julio el jaque se descubrió farol y fue desmantelado con facilidad, pero el gobierno se había resentido tanto que con fecha 21 de julio fue sustituido por un nuevo gabinete presidido esta vez por el emergente Kerenski y una mayoría de ministros de izquierdas. Estos hechos han pasado a la historia con el nombre de «Jornadas de Julio».

El nuevo gobierno recogió con decisión el guante que los bolcheviques le habían echado. Culpabilizó a los de Lenin de haber instigado la revuelta de julio, anunciando una dura persecución contra los líderes del partido que se tradujo en cierre de sedes, clausura del diario *Pravda*, que había sido legalizado por la revolución el 5 de marzo, y el desmantelamiento de muchos de sus cuadros. Una tremenda represión se abalanzó contra el Partido Bolchevique, que volvía a verse inmerso en la clandestinidad.

El gobierno Kerenski estaba muy interesado en la eliminación legal de aquel foco de inestabilidad acaudillado por Lenin, enemigo declarado del gobierno y del sistema que luchaba por asentarse. Lenin, aún afectado de su trastorno nervioso pero presente en Petrogrado en los momentos finales de las Jornadas de Julio, captó las intenciones del nuevo titular del gobierno en cuanto leyó los primeros ataques que desde la prensa y los medios gubernamentales se lanzaban contra los bolcheviques. Ahora tocaba esconderse debajo de las alfombras hasta que finalizara el

El general Kornilov saluda a la multitud. Poco a poco se había transformado en la gran esperanza para los sectores reaccionarios, que deseaban la instauración de un hombre fuerte para eliminar de raíz los cambios que había introducido la revolución de febrero.

vendaval. La cuestión era que el vendaval tardaría mucho en remitir, demasiado, y quizá habría de aplicarse un cambio de estrategia, lo cual ralentizaría e incluso inutilizaría todos los logros conseguidos hasta entonces. Sabía que el gobierno había estado esperando un movimiento irreflexivo como el de las Jornadas de Julio para declarar ilegal y perseguir al Partido Bolchevique. Sabía también que lo que no se atrevía a hacer el gobierno Lvov lo haría sin reparos un gobierno izquierdista liderado por Kerenski. Acertaba. Las consecuencias para los bolcheviques no serán buenas.

El Partido Bolchevique fue declarado *enemigo del estado*, iniciándose una persecución terrible con el apoyo cómplice de Francia y el Reino Unido, que no podían permitir el debilitamiento de su aliado oriental en la guerra. Bolcheviques de renombre como Trotski o Kamenev fueron detenidos y encarcelados bajo amenaza de pena de muerte. La acusación de «enemigo del estado» podría llevar aparejado ese castigo. Otros, como Lenin, lograron refugiarse en diferentes escondites. La ofensiva contra los líderes del Partido Bolchevique llegó a tales extremos que el comité de Vyborg, uno de los barrios obreros con más actividad bolchevique, se vio obligado a redactar un comunicado aduciendo que «los cien mil obreros bolcheviques de Petrogrado no son agentes alemanes». La campaña arreció hasta que las proclamas leninistas fueron silenciadas y el partido dominado y en franca retirada. Las acusaciones de ser agentes alemanes, de traición a la patria y de practicar una política de división de la clase obrera con el objetivo de atacar al soviet para desestabilizar el país y facilitar la victoria alemana en la guerra, se hicieron comunes.

El nuevo gobierno de izquierdas liderado por Kerenski anunció su intención de no demorar más la formación de una asamblea constituyente. Era esta una promesa que ya se estaba retrasando demasiado, en parte debido a la falta de voluntad de los sectores conservadores, que acariciaban la idea de poner coto al desorden aupando al poder a un «hombre fuerte». En plata, un dictador que pusiera coto a los desmanes de los obreros e impusiera un gobierno fuerte y estable. A pesar de estos esfuerzos por retrasar las elecciones, el gobierno Kerenski consiguió asignar la fecha del 12 de noviembre para la celebración de elecciones a la asamblea constituyente. El primer ministro era muy consciente de los anhelos conservadores, razón por la cual intentó hacer de bisagra entre una derecha que cada día se dejaba seducir más por la solución bonapartista y una izquierda desconfiada que se empeñaba en defender las conquistas revolucionarias. Al margen de la particular cruzada de los bolcheviques contra todos, el nuevo sistema republicano comenzaba a dar síntomas de agotamiento. Para intentar llegar a un acuerdo entre derecha e izquierda, Kerenski organizó una Conferencia de Estado que se celebró con todo boato en el Teatro Bolshoi de Moscú. Se reunieron delegados de

todos los partidos a excepción de anarquistas, ultrade-
rechistas y bolcheviques; pero además de partidos políticos, también acudieron representantes de la iglesia,
de las diferentes nacionalidades del Imperio, del
mundo de la cultura y un largo etcétera que dibujó una
conferencia que logró trazar un dibujo bastante aproxi-
mado de la realidad de Rusia en todos sus aspectos.
Fue precisamente en las sesiones de esta conferencia
donde las aspiraciones de la derecha se vieron por fin
reflejadas en la oratoria del general Kornilov, jefe del
estado mayor ruso, héroe de guerra y decidido partidario de la supresión de los soviets. Tenía fama de ser un
apasionado partidario de la disciplina de hierro, tanto
en el ejército como en los medios civiles, y sus feroces
argumentos alarmaron a los representantes del soviet
tanto como satisficieron a muchos conservadores, que
pusieron sus esperanzas en él como el «*hombre fuerte*»
que habían estado esperando.

En cuanto al frente de la guerra, el nuevo
gobierno no se diferenció en gran medida con respecto
a los anteriores. De esta manera Kerenski pretendía
calmar a una derecha nerviosa, buscando al mismo
tiempo una conciliación entre las derechas y las
izquierdas, que era lo que le mantenía en el poder.
Mantuvo la fidelidad de las izquierdas dominantes en
el soviet y cultivó la amistad de los elementos conservadores garantizándoles el orden, una persecución
feroz contra los elementos desestabilizadores, como
bolcheviques y anarquistas, y asegurando un reforzamiento del poder en dirección a crear el gobierno
fuerte que exigían. Alimentó además su imagen de
conciliador para con las derechas protegiendo a la
familia real de las iras de los más radicales, e incluso
dio síntomas claros y muy profundos de populismo
anunciando con gran despliegue mediático la liberación de los carceleros que en la etapa zarista le tuvieron prisionero.

LA *KORNILOVSCHINA*

Como su predecesor en el puesto, Alexander Kerenski era muy consciente de que su gobierno era extremadamente dependiente. Sus decisiones quedaban mediatizadas por los soviets, y específicamente por el más importante de ellos, el de Petrogrado. Sin embargo, con la subida al puesto de Kerenski y la formación de un gabinete de once ministros de izquierdas, otra dependencia se sumaba al carro de la debilidad gubernamental: había de satisfacer también a la derecha, obsesionada por dar un golpe de timón en dirección a un gobierno con amplios poderes. Kerenski sabía de su estatus de bisagra entre ambas corrientes, así como que si en algún momento desaparecía su posición central, el propio gobierno se iría al garete. Si quería mantenerse en el poder debía de presentarse ante la nación como garante de los avances revolucionarios, al mismo tiempo que del orden como respuesta a las reclamaciones de firmeza de la derecha. Parece que cara a determinados círculos conservadores influyentes se postuló a sí mismo como *hombre fuerte*; al fin y al cabo prefería una solución bonapartista bajo su responsabilidad que asegurara ciertos avances revolucionarios. Ya se había fijado en Kornilov, a quien ascendió en sustitución de Brusilov como jefe del estado mayor, pensando que podía hacer uso de su ascendiente sobre las clases acomodadas y la oficialidad del ejército para favorecer un posible incremento de autoridad gubernamental, lo que satisfaría a las derechas, mantendría los logros de la revolución y nutriría el ego del primer ministro. El acercamiento de Kerenski a la derecha y el nombramiento del general Kornilov se pergeñaron en esta dirección, como tramas de un oscuro plan que aún hoy en día no es conocido en todas sus dimensiones. Los defensores de Kerenski afirman que se trató de un esfuerzo supremo por mantener la estabilidad del gobierno, y en definitiva del estado, forzando un ya difícil equilibrio entre las reclamaciones de la derecha y la izquierda; un argumento que enfatiza a Kerenski con ribetes casi heroicos y que no resulta nada descabellado. Sus detractores afirman que la intención oculta del primer ministro era convertirse en dictador y que el *putsch* de Kornilov del que en seguida tendremos la oportunidad de hablar, no fue sino la excusa perfecta pasa asumir todos los poderes del estado. Tampoco esta idea es descabellada. Incluso la combinación de ambas podría resultar perfectamente factible, viniendo de un hombre tan proclive al populismo como Kerenski.

Los manejos de Kerenski no evitaron que el grueso de las derechas siguiera abrigando designios dictatoriales para con el general Kornilov, un hombre bien situado y muy del gusto de personalidades tan influyentes como el «barrigón» de Rodzianko. Kornilov, y no Kerenski, era el hombre de la derecha. Mientras Kerenski era avezado, pretencioso y procedente de la izquierda eserista, Kornilov no dejaba de ser un hombre sin dobleces, apasionadamente partidario de ese gobierno fuerte, perfecta encarnación de la firmeza militar, y presumiblemente muy manipulable. Fue definido como un hombre con «corazón de león y cabeza de oveja». Prestaba gustoso su voz para polemizar públicamente contra el gobierno y el soviet mientras los verdaderos conspiradores callaban o se escondían en la sombra. Sumergido dentro de una cosmovisión exactamente contraria a la de los bolcheviques, Kornilov era el vehículo de los argumentos de la derecha cuando afirmaba vehementemente que el gobierno era un títere del soviet. La izquierda controlaba al ejecutivo e incluso lo estaba invadiendo con un peso cada vez mayor de ministros eseristas y mencheviques. Para Kornilov era urgente suprimir el sistema de doble poder eliminando definitivamente al soviet, alterando las relaciones de poder para conferir toda la autoridad en derredor de aquel «hombre fuerte» a quien la derecha adoraba. Además, el hecho de que el soviet se inmiscuyera en los asuntos militares resultaba un trago demasiado amargo para los aristocráticos oficiales como para que fueran capaces de encajarlo sin cierto sentimiento de despojo.

Animado por los intereses que se ocultaban detrás de su uniforme, Kornilov se reunió varias veces con Kerenski, planteándole la apremiante exigencia de la formación de un gobierno fuerte. Forzado por las circunstancias y suponiendo que de ello podría sacar rédito político, Kerenski prometió avanzar en aquella dirección. Al oír esto, el militar aseguró que si el primer ministro cumplía con su palabra, sería apoyado por la derecha. Al mismo tiempo, desplegaba sus tropas en puntos estratégicos cercanos a Petrogrado. No parece lógico que en el momento en el que ambos aspirantes a Napoleón parece que han llegado a un acuerdo, uno de ellos, Kornilov, se dedique a amenazar con sus tropas a la capital. Este hecho fue aprovechado por Kerenski para acusar de traidor al general. Sin embargo, numerosos autores afirman que Kornilov y Kerenski habían llegado a un acuerdo secreto para forzar el gobierno fuerte, y que el despliegue de tropas era una acción para asegurar el cambio, siendo estos movimientos militares preventivos para evitar tumultos de la izquierda cuando Kerenski cumpliera su parte del trato. Sea como fuere, Kornilov estaba haciendo una demostración de fuerza que no pasó desapercibida para el soviet y los miembros de la izquierda. Las tropas de Kornilov, acampadas a pocos kilómetros de Petrogrado, suponían una clara amenaza para el soviet y para la revolución. El propio Kornilov declaró más tarde que sus movimientos militares estaban dirigidos a contrarrestar un hipotético alzamiento bolchevique que estaba previsto, según rumores, para agosto, de forma que siguiendo su argumento las tropas estaban allí con intención de proteger al gobierno provisional. Kornilov aseguró que su intención siempre fue la de defender al ejecutivo y no derrocarlo. Muchas versiones para tan turbio asunto aún no del todo resuelto.

El 22 de agosto Lvov se ofreció como correo entre Kerenski y Kornilov, a fin de llevar a buen término las conversaciones que llevarían a la formación de un gobierno fuerte que presumiblemente sería un triunvirato. Se ha achacado generalmente a Lvov de haber hecho creer por error al primer ministro que Kornilov planeaba dar un golpe de estado por su cuenta; sin embargo, hay quienes afirman que fue el propio Kerenski quien traicionó al general para forzar la acumulación de poderes en su persona y crear, bajo pretexto de la amenaza militar, algo parecido a una dictadura civil que llevaría a la derecha a olvidarse de Kornilov y volcarse en él. En resumen, utilizar a Kornilov como cabeza de turco para satisfacer sus ambiciones particulares.

El 27 de agosto, Kerenski lanzó públicamente contra Kornilov la acusación de golpista, exhibiendo supuestas pruebas en las que se «demostraban» sus argumentos mediante la publicación de una entrevista entre el general y un Kerenski que se hizo pasar por Lvov, en la cual Kornilov daba a entender que sus intenciones eran antigubernamentales. Inmediatamente se promulgó un decreto por el que Kornilov quedaba relegado de todos sus cargos, y aprovechando la situación de emergencia nacional, exigir para la presidencia del gobierno una acumulación de la autoridad, formándose *de facto* una especie de dictadura temporal con Kerenski como garante y salvador de la revolución. Los ministros ya habían dimitido. Kerenski estaba solo en el poder.

Cuando Kornilov recibió el telegrama con la noticia de su destitución, dio la orden de avanzar hacia Petrogrado. La versión del militar insiste en la idea de que nunca pretendió dar un golpe de estado, sino que interpretó el extraño telegrama como signo inequívoco de que los bolcheviques por fin se habían decidido a tomar el poder[35]. Fuera para defender al gobierno provisional de un secuestro bolchevique o para dar un golpe de estado, es algo que poco importa de cara al desarrollo próximo de la historia de Rusia. El hecho es que lo hizo, y que su fracaso conllevó cambios decisivos que facilitaron la segunda revolución, la de los bolcheviques. Precedido por un ampuloso manifiesto de pretensiones mesiánicas[36], Kornilov se dispuso a seguir a sus tropas contra Petrogrado, con el apoyo de un buen numero de generales zaristas. La contrarrevolución estaba en marcha y Kerenski se veía ahora como un hombre fuerte, pero solo, ya que las derechas se lanzaron a los brazos de Kornilov desde el mismo momento de su pronunciamiento.

Kerenski actuó con rapidez: ordenó el traslado de la familia real a un lugar fuera del alcance tanto del soviet como de los kornilovistas, garantizando una estancia siberiana en un elegante edificio. Con los Romanov a resguardo, se enfrentó a la soledad ponién-

---

[35] El hecho de que la orden de destitución de Kornilov estuviera firmada tan solo por Kerenski alteraba completamente las formas legales del ejecutivo, que exigían la firma de todos los ministros para sancionar una decisión tan grave. Como sabemos, los ministros acababan de dimitir en bloque, de forma que era lógico que solamente figurara la de Kerenski, pero eso Kornilov no lo sabía. Según el general, esta tremenda irregularidad indicaba que los bolcheviques insurgentes habían obligado al primer ministro a firmar una orden sin su consentimiento.

[36] Kornilov asumía la categoría de salvador de Rusia de las garras del soviet y de los bolcheviques. Exigía además la reinstauración de la pena de muerte, decretando unilateralmente la ley marcial en Petrogrado.

dose en manos del soviet para pedirle ayuda. El alineamiento de las derechas con Kornilov le había dejado sin apoyos por ese lado y solamente le quedaba la izquierda para hacer frente a una amenaza militar que podía ser francamente seria. Apelando a la unidad de la izquierda y a la defensa de los progresos revolucionarios, Kerenski casi suplicó al soviet que se pusiera de su lado contra los kornilovianos. El soviet no dio una respuesta inmediata. Tenía que decidir si era lícito ponerse al lado del nuevo dictador, pero la amenaza del avance korniloviano pudo más y finalmente la ejecutiva dio luz verde al apoyo del soviet frente a la contrarrevolución. Pero esto no era suficiente. Eseristas y mencheviques no ignoraban que la auténtica fuerza armada de la izquierda residía en los bolcheviques, y solicitaron su rehabilitación. Una vez hecho, el gobierno *sui generis* de Kerenski se vio de repente sostenido por sus antiguos enemigos, que se pusieron inmediatamente a preparar la defensa de Petrogrado. Los líderes bolcheviques fueron liberados, entregándose con entusiasmo a una vertiginosa labor de creación y organización de comités de soldados y obreros encargados de mantener el orden en la ciudad y distribuir sus fuerzas para defenderla. Los Guardias Rojos hicieron de propagandistas y reclutadores en las fábricas, en las estaciones de tren, en las guarniciones y bajo la batuta bolchevique, la ciudad se preparó para resistir un largo asedio.

Lo que siguió fue un inconmensurable alarde de eficacia que demostró que las aspiraciones revolucionarias seguían siendo sentidas por la mayoría de los trabajadores. Los ferroviarios bloquearon los raíles, desviando así trenes cargados de tropas y evitando su entrada en la ciudad; los telegrafistas dejaron de transmitir las órdenes de los jefes insurrectos, confundiéndolos irremisiblemente; un tren repleto de generales contrarrevolucionarios fue apresado por los ferroviarios y muchos de los cosacos de Kornilov se unieron al bando gubernamental en cuanto se cruzaron con los revolucionarios, confraternizando con ellos. La tentativa de Kornilov se desinfló antes de llegar a Petrogrado. La ciudad se había salvado.

Kornilov fue puesto en situación de arresto domiciliario preventivo hasta su posterior traslado a un viejo monasterio, donde compartió prisión con otros treinta oficiales insurrectos. Para Lenin, la *Kornilovschina* fue una bendición, porque restituyó legalmente a los bolcheviques y los proyectó ante el pueblo como salvadores de la revolución. El gobierno de Kerenski había redimido a los bolcheviques y el *pustch* los había transformado en héroes. No era prudente devolverlos a la ilegalidad.

Los veinticinco mil obreros bolcheviques movilizados para la defensa de Petrogrado no devolvieron las armas y los barrios proletarios de mayor ascendencia bolchevique ya se habían convertido en baluartes de la revolución; ahora los bolcheviques habían revertido la situación, pasando de la clandestinidad a ser un poder palpable en las calles. A principios de septiembre, ya contaban con la mayoría en los soviets mas importantes, especialmente en los de Petrogrado y Moscú, siendo sustituido en la presidencia del primero el menchevique Chejeidze por el bolchevique Trotski. Supieron sacar rentabilidad a la aprobación de una enmienda propuesta por ellos, mediante la cual se alteraba la forma de contabilizar el voto; una reforma aprobada gracias a los vientos que soplaban en el soviet tras la resaca de la *kornilovschina*, dando curso a un definitivo cambio de tornas a su favor dentro de la institución obrera. Para Lenin, la situación ya estaba madura. Ahora sí. Kerenski estaba solo. En las calles y en el soviet los bolcheviques se perfilaban como el grupo dominante y la derecha había vuelto la espalda a Kerenski. Los eseristas y mencheviques, que habían confiado en Kerenski, estaban desacreditados en contraste con el crecimiento de la influencia bolchevique. Los lemas exigiendo una paz inmediata, control obrero de las fábricas y la conquista del poder cayeron en tierra fértil y el soviet se fue bolchevizando. De nuevo el ambiente se tornó prerrevolucionario, viéndose el gobierno incapacitado para detener las manifestaciones amenazantes de los bolcheviques y la creciente oposición del soviet al dictador. Volvieron a reproducirse los tumultos en el campo, en las fábricas y en las ciudades, instigados por los bolcheviques contra los que el gobierno poco podía hacer. Era el momento.

Con fecha 13 de septiembre, Lenin instó a la ejecutiva del partido a iniciar los preparativos para la toma del poder. Rusia estaba madura y el momento era este, no antes ni después. El 25 de septiembre, Kerenski formó un nuevo gobierno integrado por eseristas, mencheviques y algún que otro kadete, pero los bolcheviques se sentían fuertes y no iban a permitir su cristalización. Trotski proclamó que «nosotros, los bolcheviques, declaramos que no tenemos nada en común con ese gobierno traidor».

Había llegado la hora de los bolcheviques.

4

Asalto al estado

La Historia no nos perdonará
si no asumimos el poder ahora.
V.I. Lenin

EL LABORATORIO DE LA HISTORIA

Dotado de una mente analítica completamente
volcada en su obsesión, Lenin había sido el único
miembro del Partido Bolchevique capaz de analizar el
estado sociopolítico ruso en clave de revolución. La
insurrección armada tenía en él a su más infatigable
valedor, y es posible que sin su participación jamás se
hubiera producido. Aquella reclamación de septiembre
dirigida al Comité Central de cara a iniciar de inmediato los preparativos para el levantamiento galvanizó
toda la estructura del partido, y aunque en un primer
momento fue interpretada como la ensoñación de un
líder alejado de la realidad capitalina[37], algo comenzaba a moverse. Lev Kamenev y Grigory Zinoviev
consideraban excesivamente arriesgadas e incluso
ingenuas las reclamaciones de Lenin. En seguida se
mostraron como los principales opositores de la insu-

---

[37] A veces por política y otras por cuestiones de salud, Lenin solía
pasar largas estancias en Finlandia.

rrección inmediata; tendían a ralentizar la acción y a patrocinar cierta colaboración con los demás grupos de la izquierda, un planteamiento contra el que Lenin siempre se había manifestado. Vladimir Illich Ulianov[38] no estaba dispuesto a que germinara de nuevo el ideal conciliatorio dentro de un partido que había creado casi a su imagen y semejanza. Recalcaba que el gobierno de Kerenski se encontraba solo, que las tropas eran fieles al soviet y que la oficialidad se había lanzado en masa a defender al fracasado Kornilov, dando la espalda definitivamente al primer ministro. La ocasión pintaba estupenda, y antes de que una nueva colaboración entre mencheviques, eseristas y kadetes consolidara un nuevo gobierno, había que aprovechar el caos político y de preeminencia bolchevique en las calles y en los soviets más importantes.

Lenin envió sucesivas cartas instando a una reunión del Comité Central para ratificar definitivamente la puesta en marcha de la insurrección. Ante la aparente inactividad de los suyos, decidió abandonar su refugio finlandés para acercarse de incógnito a Petrogrado. Se presentó ante los miembros del Comité Central aduciendo que era urgente preparar el inmediato levantamiento bolchevique. Aunque de acuerdo con la estrategia básica de Lenin, algunos miembros

---

[38] El nombre real de Lenin era Vladimir Illich Ulianov. *Lenin* fue un alias con el que suscribió «*¿Qué hacer?*», obra que le sacó de la oscuridad política y le hizo conocido dentro de los círculos revolucionarios. A partir de entonces sería conocido como Lenin. Se cree que adoptó el apodo por el río Lena. Como era costumbre en la clandestinidad, Lenin utilizó muchos apodos. El nombre Trotski también es un mote que León Davidovich Bronstein —nombre real— tomó prestado de uno de sus carceleros. Después de utilizar numerosos alias distintos entre los que destacan Soso o Koba, el revolucionario georgiano Iosif Vissarionovich Dujasvili terminó por ser conocido por Stalin, «*acero*» en ruso. También Ovsel Gershon Aronov Radomysilsky cambió su nombre por el de Grigory Yevseevich Zinoviev, con el que será conocido por la historia.

del Comité consideraban demasiado arriesgado embarcarse en una aventura golpista, pero la presencia del carismático jefe cambiaba las cosas. La aparición del jefe actuó como revulsivo, y los bolcheviques se pusieron en marcha, no sin las acostumbradas resistencias de primera hora. Ciertamente, el planteamiento de Lenin distaba mucho de ser democrático. «Los bolcheviques serían unos ingenuos si esperasen a tener una mayoría formal; ninguna revolución espera esto», dijo como respuesta a los titubeos de los sectores del partido más favorables a extender el dominio bolchevique sobre la mayor parte de los soviets de Rusia. Para Lenin la clave del éxito de la insurrección armada estribaba en ser abrumadoramente superior en fuerzas en el día, el momento y el lugar decisivos. Si dejaban pasar esta oportunidad, quizá nunca más volvería. «La Historia no nos perdonará si no asumimos el poder ahora», sentenció.

Las demandas de Lenin forzaron una reunión del Comité Central que fue proyectada para el día 17 de octubre. El líder revolucionario sabía que dentro del partido se encontraba muy extendida la opinión de que la toma violenta del poder era un suicidio, prefiriendo esperar a que las circunstancias a nivel de soviets fueran aún más favorables, cosa que no ocurriría nunca. La «conjunción astrológica» que presentaba a unos bolcheviques fuertes frente a un gobierno débil y abandonado se estaba dando en ese preciso instante, y Lenin no estaba dispuesto a perder una oportunidad así. Ya se perdió la de 1905. En consecuencia, y haciendo uso de sus poco ortodoxas artimañas, logró adelantar la reunión al 10 de octubre. La repentina modificación cogió a muchos miembros del Comité Central con el paso cambiado, de forma que de los veintiún representantes que lo componían tan solo acudieron doce, la mayoría fieles leninistas, asegurándose así el voto favorable a las tesis insurreccionales.

La irregular reunión se celebró de noche, en casa del escritor menchevique Nikolai Sujanov, a instancias de su muy bolchevique esposa y con el total desconocimiento de este. Tan solo se discutió un único punto, pero sin duda fue el más importante que nunca tuvo encima de la mesa el Comité Central del Partido Bolchevique prerrevolucionario. La mayoría de los asistentes se habían mostrado públicamente cercanos a las tesis de Lenin, de forma que ya se sabía de antemano cuál iba a ser el resultado. Kamenev y Zinoviev no protestaron por la ausencia de un buen número de miembros que podrían haber equilibrado un poco más el sentido de los votos y aceptaron los hechos consumados, esforzándose por explicar de la mejor manera posible sus argumentos. Alegaron que era preferible esperar a la celebración del II Congreso de los Soviets de toda Rusia, que estaba prevista para finales de mes, y así pulsar la opinión de toda la izquierda. Además, los bolcheviques eran mayoría en los soviets más poderosos y no sería difícil obtener el apoyo de una organización asentada y asumida como propia por soldados, obreros y campesinos. Lenin, sin embargo, consideraba que no era sensato anunciar a toda la izquierda sus planes de rebelión, porque una organización polícroma como el soviet ralentizaría al movimiento insurreccional arrastrándolo al fracaso y porque si al final este triunfaba, los bolcheviques se verían obligados a compartir el poder con mencheviques y eseristas, lo que se traduciría en una constante obstaculización de las reformas necesarias para implantar la dictadura del proletariado. Lenin tenía muy claro que la suya era la revolución de un partido en armas, no de toda la izquierda. El estado que crearían sería plenamente bolchevique, guiado por el espíritu de Marx y perfeccionado por las mejoras doctrinales y actitudinales del propio Lenin. Nunca admitiría interferencias de otros partidos de la izquierda.

Zinoviev y Kamenev incidían en la cuestión de que un fracaso del levantamiento armado justificaría una reacción contra el partido bolchevique e incluso contra la propia revolución, que liquidaría de un plumazo todos los logros que hasta entonces se habían alcanzado. Preferían asentar y reforzar el dominio bolchevique dentro de unos soviets cada vez más bolchevizados que apoyarían la formación de una asamblea constituyente. Kamenev acusó a Lenin de colocar los intereses del partido por encima de los del soviet, a lo que Lenin contestó acusándole de ser un «legalista», algo que a su juicio era completamente incompatible con el hecho de ser un verdadero revolucionario.

Como era de esperar, la votación se saldó con un total de diez votos favorables a la insurrección y dos negativos, los de Kamenev y Zinoviev. Stalin y Trotski hicieron piña con el líder, tan solo disintiendo el segundo en una cuestión: la fecha. Trotski aseguraba que si se hacía coincidir la insurrección con el II Congreso de los Soviets de toda Rusia, que se celebraría con fecha 26 de octubre, tendría una apariencia de legitimidad avalada por el soviet, evitando así la imagen de un levantamiento impulsado por un único partido. Por su parte Lenin era partidario de la acción rápida. Deseaba que el golpe antigubernamental fuera dado antes del propio congreso, para que este no influyera en su desarrollo y poder presentar los hechos consumados al congreso. Finalmente la insurrección se programó para el día 25 de octubre.

Para organizar el golpe, se designó un buró político formado por siete personas, entre las que se encontraban Lenin, Stalin, Trotski, Zinoviev y Kamenev. El hecho de que los dos opositores al levantamiento armado estuvieran dentro del buró organizativo del mismo habla mucho de la interiorización de la teoría leninista del centralismo democrático en los militantes bolcheviques y de la confianza que depositaba el partido en la pericia, intelecto y fidelidad de ambas personalidades. Kamenev y Zinoviev acataron el resultado de la mayoría, pero días después continuaban proclamado públicamente su oposición, dentro del acatamiento y la fidelidad a la decisión mayoritaria. Hablaron demasiado. Un desliz hizo que la fecha fuera aireada públicamente, lo que enfureció a Lenin, llegando a solicitar la expulsión inmediata de ambos dirigentes. Afortunadamente, pronto las cosas volvieron a su cauce.

El principal escollo con el que se encontraron los miembros del buró era evidente: impulsar el levantamiento en nombre del partido bolchevique podría encontrar serias oposiciones entre muchos soldados y obreros, quedando condenada a sufrir un estrepitoso fracaso o una especie de guerra civil que, de cualquier modo, retrasaría una toma del poder que debía de ser inmediata. La cuestión era que si esos mismos obreros y soldados creyeran que estaban levantándose bajo los auspicios del soviet y no de un partido, la cosa tendría muchas más garantías de triunfo. Como consecuencia, el buró bolchevique echó mano de una idea que, con fecha 9 de octubre y dentro de las sesiones del soviet, habían propuesto los mencheviques: los alemanes habían ocupado varias islas del golfo de Riga y amenazaban con avanzar hacia Petrogrado, que quedaba ya muy cerca del frente militar. Inmersos en este ambiente de emergencia nacional, e inspirados por la heroica defensa de Petrogrado durante la *Kornilovschina*, los mencheviques propusieron la formación de un Comité de Defensa Revolucionaria a fin de proteger y preservar militar y organizativamente la capital. Así, lo que en principio fue ideado por los mencheviques como una organización puramente defensiva, fue adoptado e impulsado por los bolcheviques y aprobada con la suma de sus votos, pero transformándose en un Comité Militar Revolucionario (CMR) que, dependiente del soviet, adquiría el estatus de máxima autoridad militar con plenos poderes dimanantes del soviet. Su primera reunión se celebró el día 20 de octubre, y gracias al peso de los bolcheviques en el soviet pudo contar con los votos necesarios para transformarse en lo que estos querían. Utilizaron al sector más izquierdista de los eseristas únicamente como cortina de humo para camuflar el control bolchevique sobre la nueva institución, de forma que dos eseristas y tres bolcheviques fueron designados para encarnar su dirección. Teóricamente supeditado al soviet, pero en realidad dependiente del buró bolchevique[39], el CMR iba a dirigirse de pleno hacia la consecución de un objetivo mucho más ambicioso: la conquista del poder. Los representantes eseristas del mismo nunca supieron, hasta después de los hechos consumados, de la trama insurreccional que estaban llevando a cabo los bolcheviques bajo el cortinón del CMR.

El CMR instaló su oficina en el tercer piso del edificio Smolny. La sede del soviet había sido trasladada desde el palacio Taúrida hasta el Smolny, un antiguo instituto de educación para señoritas de buena familia ahora mancillado por malolientes soldados que no sentían la más mínima lástima cuando estrujaban las colillas contra el suelo. Los muebles y demás accesorios originales del viejo instituto Smolny habían sido retirados, de manera que sus habitaciones se encontraban completamente desnudas cuando se instalaron los revolucionarios. Solamente algunas fueron ligeramente reamuebladas para uso de los partidos miembros del soviet. Los bolcheviques tenían su sede en la habitación número 36, y la antigua sala de baile, donde antaño las jovencitas de buena cuna ensayaban los

---

[39] Trotski, presidente del soviet de Petrogrado y del Comité Militar Revolucionario, actuaba como correa de transmisión entre el buró bolchevique y la nueva organización.

Pintura propagandística soviética incidiendo en la toma del palacio. El haz de luz del acorazado Aurora ilumina los cielos mientras los revolucionarios avanzan hacia el edificio.

pasos del vals, se había transformado en el salón de plenos de los delegados del soviet de obreros, soldados y campesinos. Por aquellos días, el Smolny era casi un edificio fortificado con soldados armados en la puerta y a veces incluso nidos de ametralladora en los puntos especialmente estratégicos o vistosos. Lo que había sido un *petit palace* de alcurnia se había transformado en una jungla burbujeante por la que desfilaban a diario hombres armados con brazaletes rojos, proclamas políticas, un extraño olor que entremezclaba tabaco con sudor humano y mucha suciedad. Su interior era un hervidero de gente corriendo, fumando o durmiendo apoyados en las otrora distinguidas paredes o directamente en el suelo. Se cuenta que bastaba con abrir una de las puertas de sus innumerables habitaciones para tragarse una bocanada de humo procedente del tabaco consumido por los que se hallaban dentro. Un ambiente viciado y maloliente que sin embargo inspiraba la grata sensación de que tras las ventanas de aquel histórico edificio bullía la actividad. El Smolny se había transformado en un hábitat particular con ecosistema propio. Era lo que Trotski denominó el «laboratorio de la Historia».

Fuera del Smolny, las células bolcheviques recibieron la orden de incrementar su actividad política en un intento de mantener la tensión entre sus militantes y simpatizantes. Las fábricas se transformaron en imprevistos ruedos políticos en los que se corrió la voz de que había que mantenerse alerta ante las circunstancias que iban a producirse en breve. La Guardia Roja fue arengada para que estuviera preparada para la batalla, tomar los puntos neurálgicos de la ciudad y ejercer labores de policía. Los anarquistas sumaron también sus fuerzas a los preparativos de una hipotética insurrección que deseaban y que parecía provenir del soviet, y cierto es que en su momento se entregaron con entusiasmo, a pesar de que bajo el futuro gobierno bolchevique su destino evidente iba a ser la proscripción. Sin embargo, la trama civil —llamémosla así— del *coup d'etat* bolchevique no era más que la guarnición del plato principal: el ejército. El CMR dedicó un amplio esfuerzo en convencer a soldados y marineros de que debían de levantarse contra el gobierno, utilizando informaciones falsas si era preciso. Había que asegurarse la fidelidad del suficiente número de soldados de Petrogrado para que, apoyados por los guardias rojos, tomaran la ciudad. Por orden de Trotski, el Comité Militar Revolucionario difundió un mensaje falso entre la tropa: «La contrarrevolución ha tomado la ofensiva». Desde el comité del soviet para la defensa de Petrogrado, el CMR, y por lo tanto, respaldado por toda la legitimidad del soviet y de su presidente Trotski, se argumentó que el gobierno provisional tenía la intención de enviar al frente a la guardia de Petrogrado, muy fiel al soviet, y sustituirla por otra más manejable. Entonces comenzaría la contrarrevolución, suspendiendo la organización del II Congreso y presumiblemente decretando la disolución del soviet de

Asalto al palacio
de Invierno.
Fotograma obtenido
de la película *Octubre*,
de Eisenstein.

Petrogrado. Aunque las acusaciones de promover la contrarrevolución no eran ciertas, el gobierno sí que tenía la intención de alejar a las fuerzas más sovietizadas, de manera que los primeros movimientos de tropas en esa dirección justificaron a ojos de los miembros de la guarnición las advertencias procedentes del CMR. En consecuencia, y revalidando su supeditación y fidelidad al soviet, la mayoría de los regimientos se pusieron a su disposición por medio de su comité de defensa, el CMR, sin saber que este no era más que un títere de los bolcheviques. El 21 de octubre, los soldados reconocieron al CMR como suprema autoridad de la guarnición, haciendo caso omiso a sus oficiales. El 23 de octubre, la soldadesca acuartelada en la fortaleza de Pedro y Pablo comunicó oficialmente al soviet que se ponía a las órdenes del CMR. Sin perder un instante, la oficialidad informó al gabinete ministerial de que habían perdido su autoridad sobre los soldados de las guarniciones de la ciudad. El gobierno estaba vendido.

La noche del 23 al 24 de octubre, después de recibir las alarmantes noticias del mando militar, el ejecu-

tivo de Kerenski proclamó el estado de sitio en
Petrogrado, trasladando tropas desde el frente, presumiblemente incontaminadas por el CMR, a las que se
dio la orden de custodiar el Palacio de Invierno y los
puntos emblemáticos de la capital. Los soldados se
desplegaron por todo Petrogrado, patrullando las calles
armados con sus fusiles y bayonetas. Los obreros y las
guarniciones fieles al CMR comprendieron errónea-
mente que, tal y como había alertado el soviet por boca
del Comité Militar Revolucionario, el gobierno estaba
preparando una contrarrevolución. Sin embargo, lo que
estos veían como una ofensiva gubernamental no era
más que el resultado de la impotencia de un Kerenski
que se descubría directamente amenazado por la obsti-
nada insistencia de los bolcheviques en destruir a su
gobierno. El primer ministro estaba convencido, y con
bastante razón, de que Lenin era el principal responsable de que el estado que había comenzado a construir
con tanto esfuerzo se estuviera derrumbando de aquella manera. «Solo deseo que salgan, para después
suprimirlos», afirmó irritado mientras se prometía a sí
mismo no permitir que el bolchevismo volviera a
germinar en Rusia. Se abrieron acciones judiciales de
urgencia y dos periódicos bolcheviques fueron cerrados de inmediato, incautándose el gobierno de material
diverso, para después precintar y poner guardias en las
puertas. Kerenski también exigió el arresto inmediato
de la ejecutiva del CMR, pero antes de que la orden
fuera irreversible se echó atrás: eso pondría a todo el
soviet en su contra, ya que era una organización del
mismo. Los bolcheviques actuaron. Crecidos por el
apoyo masivo de las guarniciones militares al CMR,
un importante grupo de bolcheviques y soldados se
presentó ante las sedes clausuradas de los dos periódicos, y apartando a los soldados que las custodiaban,
desprecintaron las puertas y entraron. Aquella misma
mañana, los diarios salieron a la calle como si no

hubiera pasado nada. La anécdota refleja con exactitud la terrible impotencia de un gobierno definitivamente abandonado por todos. Los bolcheviques habían pasado del enfrentamiento verbal al directo, y habían ganado la primera escaramuza.

LA INSURRECCIÓN

La noche del 24 al 25 de octubre (6 al 7 de noviembre en el calendario occidental), hacia las dos de la madrugada, los soldados del Acorazado «*Aurora*» recibieron la orden del CMR de tomar los puentes del Neva, en nombre del soviet y de la revolución. Al mismo tiempo, patrullas de soldados y obreros armados se esparcían desde los cuarteles y los barrios industriales, tomando por sorpresa las áreas vitales de Petrogrado, como edificios de correos, estaciones de tren, arsenales o depósitos de agua. Fue una implantación tranquila. A excepción de algunos tiros esporádicos, no hubo efusión de sangre. En casi todos los casos el dominio de los edificios señalados se dio como resultado de un relevo natural. Los soldados no opusieron ninguna resistencia a unos compañeros también soldados que, acompañados por Guardias Rojos, venían a relevarles en nombre del soviet y del Comité Militar Revolucionario, al fin y al cabo una institución oficial. Una vez hecho esto, un buen número de Guardias Rojos fueron distribuidos por todo el centro de la ciudad con la consigna de patrullar las calles, cumpliendo con las órdenes que tenían de asumir las funciones de la policía. Al amanecer, la guarnición de la fortaleza de Pedro y Pablo anunció la derrota de los oficiales contrarios al soviet, y la ciudad quedaba definitivamente ocupada por las fuerzas partidarias del mismo. Petrogrado era virtualmente de los bolcheviques. Únicamente quedaba fuera de su control el

Palacio de Invierno, detrás de cuyas paredes se encontraba reunido el gobierno en pleno, tan solo protegido por un batallón de mujeres, varias divisiones de oficiales jóvenes y algunos cosacos. Una defensa a todas luces incapaz de dar respuesta a los revolucionarios, que con los primeros rayos de sol cada vez eran más y rodeaban ya el edificio.

Mientras tanto, Lenin arenga a los suyos en el Smolny. Exige imperiosamente la toma del poder, y para ello es necesario el asalto al Palacio de Invierno y el arresto del gobierno provisional. Los bolcheviques se hallaban inmersos en una febril actividad, dando órdenes y organizando la insurrección por medio de la magnífica correa de trasmisión que suponía el Comité Militar Revolucionario. En un receso de la actividad, y quizá como estrategia para distender los nervios, el comité bolchevique se dio un pequeño respiro para asignar los cargos del próximo gobierno de los bolcheviques. Aún no había caído el Palacio de Invierno y se desconocía la respuesta que los demás partidos y el pueblo darían al golpe de estado, pero en un ejercicio de cierta soberbia y elegante prevención[40], los bolcheviques se repartieron los cargos. Lo que parecía un juego terminó por plasmarse en la realidad, y aquellos nombres que fueron descuidadamente garrapateados en un sucio papel terminaron por constituir el boceto del primer gobierno obrero de la Historia. Entre chanzas y veras, acordaron que para inaugurar una nueva era, la del socialismo, sería necesario romper con las denominaciones de «gobierno» y «ministro», que tenían cierto tufillo a burocracia burguesa. Alguien dijo que sería bueno sustituir el término «ministro» por el de

---

[40]Lenin deseaba iniciar su mandato el mismo día de la caída del gabinete Kerenski para dejar constancia de que ellos habían asumido la responsabilidad gubernamental y de que no iba a haber vacío de poder.

«Comisario del Pueblo». «Me gusta —dijo Lenin— huele a revolución». Como consecuencia lógica el gobierno se llamaría «Soviet de los Comisarios del Pueblo». Lenin sería el presidente, Trotski el responsable de Asuntos Exteriores y Stalin el comisario de nacionalidades.

Fuera, los insurrectos rodeaban el Palacio de Invierno. El batallón de mujeres intentaba organizar una hipotética resistencia coordinándose como podía con los jóvenes soldados, pero Kerenski era muy consciente de que con semejante protección el palacio caería y con él, también el gobierno y su propia cabeza. Acordó con el consejo de ministros su abandono del palacio a fin de acercarse al frente, que se hallaba muy cerca de Petrogrado, y reclutar un número suficiente de refuerzos para retornar a la capital y salvar al gobierno provisional. Logró requisar un par de vehículos de la embajada americana y escapó al frente. Dejaba a sus ministros reunidos en un salón de paredes cubiertas de oro y malaquita, testigo del antiguo esplendor de los zares.

Aquel 25 de octubre de 1917 el buró político bolchevique dio vía libre a Trotski para que, como presidente del soviet y responsable del Comité Militar Revolucionario, diera la orden de asaltar el palacio de invierno. «No puedo creer aún en la autoridad de mi orden», dijo más tarde, abrumado por el hecho de que la Historia le hubiera reservado a él, hijo de una familia judía de Ucrania, la potestad de dar una orden semejante. Hacia las seis y media de la tarde, los cruceros *Aurora* y *Amur* levaron anclas para desplazarse rio arriba, en dirección al Palacio de Invierno, con una proclama que debía de ser bien oída por los que se encontraban en el interior del mismo: «Gobierno y tropas deben capitular. Este ultimátum expira a las siete y diez, tras lo cual se abrirá fuego inmediatamente». Silencio desde el palacio. Hasta las nueve no ocurrió nada. Fue entonces cuando el *Aurora* iluminó con sus potentes focos el edificio sitiado y su tripulación fue avisada para que estuvieran alerta ante la eventualidad de un bombardeo. Cerca ya de las diez menos veinte, el *Aurora* lanzó el primer disparo. Era una salva que anunciaba el comienzo del asalto. Seguirían más. Dentro del palacio, un grupo de mujeres del batallón femenino no soportaron el *shock* de encontrarse por primera vez en una situación de guerra, sufriendo un ataque de nervios por el que tuvieron que ser trasladadas hasta una habitación trasera donde los cañonazos quedaban algo más amortiguados. Dos de los proyectiles acertaron en el edificio, que por lo demás no sufrió grandes daños. En el palacio cundía el desánimo. Las tropas prometidas por Kerenski no llegaban y desde el exterior comenzaron a ametrallar el edificio, aumentando la ansiedad en sus ocupantes.

El día 26 de octubre, la noticia de que Kerenski[41] había abandonado el palacio hundió definitivamente en el desanimo a sus defensores. Al mediodía, el gentío descubrió puertas de servicio abiertas o mal cerradas, de forma que casi repentinamente los asaltantes se desperdigaron por el interior del palacio sin encontrarse resistencia alguna. Sus defensores tiraban las armas, entregándose al paso de una oleada revolucionaria que desembocó en el gran salón donde se hallaban reunidos los ministros, alrededor de una gran mesa sobre la que parecían estar acordando una proclama. Vladimir Antonov-Ovseenko[42], miembro de la ejecu-

---

[41] Kerenski logró reclutar tropas que avanzaron sobre Petrogrado, siendo derrotadas por los defensores de la ciudad. Tras intentar ser canjeado por jefes cosacos, pudo escapar y huir al exilio.

[42] Durante la Guerra Civil española, Vladimir Antonov-Ovseenko fue nombrado cónsul en Barcelona, siendo uno de los agentes soviéticos más cercanos a la presidencia del gobierno de la república. En 1938 fue arrestado y asesinado al año siguiente, víctima de las purgas de Stalin.

tiva del CMR y responsable del asalto al Palacio de Invierno, anunció solemnemente ante los resignados ministros que «en nombre del Comité Militar Revolucionario, los pongo a todos bajo arresto». Los ministros dejaron sus plumas sobre la mesa y se entregaron sin resistencia, dejando encima de la mesa un texto a medio hacer. Se trataba de un borrador instando al pueblo a defender al gobierno. Era la una y cuarto de la tarde del 26 de octubre de 1917.

La mitología soviética ha alimentado el mito de la toma del Palacio de Invierno como un hecho grandioso. No ha sido ajena a esta ofensiva propagandística la película *Octubre*, de Eisenstein. Sin embargo, la histórica acción ni fue tan épica ni resultó demasiado honrosa. Muchos de los asaltantes se desentendieron del objetivo principal que les había llevado hasta los pasillos de la otrora residencia real, entregándose a la rapiña. Jarrones, joyas, cuadros, manteles y cortinas fueron arrampladas por la oleada salvaje de los revolucionarios y solamente las advertencias de Antonov-Ovseenko y los suyos fueron capaces de detener la orgía de destrozos y robos que se había iniciado espontáneamente. Por orden de Antonov-Ovseenko, la Guardia Roja apeló a la disciplina revolucionaria, aduciendo que todo aquello pertenecía al pueblo y que nadie tenía derecho a sacar nada de allí, dejándolo todo tal y como lo habían encontrado. Según John Reed[43], a la salida del edificio se instaló un control para que los revolucionarios no se llevaran nada

---

[43] La obra de John Reed, *Diez días que estremecieron al mundo*, es una vívida crónica de los acontecimientos que tuvieron lugar en Petrogrado en los días que rodearon a la revolución de octubre. Desde la visión de un periodista norteamericano que tuvo la oportunidad de presenciarlos de primera mano, Reed plasmó en este libro el ambiente revolucionario de forma magistral. Sin embargo, su pertenencia al Partido Comunista de los Estados Unidos y su notable posicionamiento con las tesis de los bolcheviques lo convierten en un autor que hay que leer con cierta precaución.

del palacio. Sin embargo, la fabulosa demostración de disciplina revolucionaria descrita por Reed no encaja con otros muchos testimonios, que denuncian una rapiña generalizada que se inició en los salones y habitaciones imperiales y terminó arramplando con la impresionante bodega personal de Nicolás II. Vinos de tan alta cuna como el *Chateau d'Yquem* del año 1847, el preferido del zar, y licores cuidadosamente envejecidos desde el siglo XVIII, fueron engullidos sin contemplaciones por la masa revolucionaria. La consiguiente borrachera dibujó un dantesco escenario de Guardias Rojos tirados por el suelo, peleándose y vomitando, incluyendo una escandalosa caza y captura de mujeres-soldado que finalizó en una brutal violación colectiva. Un crimen que fue vergonzosamente obviado por la propaganda soviética.

El II Congreso de los Soviets de toda Rusia se celebró en la fecha prevista. Fue inaugurado el 26 de octubre, con los cañonazos del *Aurora* todavía atronando contra el Palacio de Invierno. La magnitud de los acontecimientos sumergió a los delegados en una incertidumbre que las palabras del presidente del soviet de Petrogrado, León Trotski, debían de mitigar. Iba a ser un discurso inaugural muy distinto del que los delegados se habían figurado. Para sorpresa y escándalo de gran parte de su auditorio, Trotski se presentó ante ellos diciendo que «en nombre del Comité Militar Revolucionario, anuncio que el gobierno provisional ya no existe». Cuando dijo esto, a los de Antonov-Ovseenko les faltaba un rato para entrar en la sala del consejo de ministros, pero los bolcheviques ya lo vendían como algo hecho. En breve llegarían las noticias del arresto de los ministros. Todo Petrogrado estaba ahora en manos de los bolcheviques, que mostraban al congreso de los soviets la toma del poder como algo realizado. Los eseristas y mencheviques no aprobaron la forma en la que se había despachado a Kerenski del poder, acusando a los bolcheviques de pretender desestabilizar al país y de actuar únicamente en beneficio propio. El pequeño grupo de los mencheviques de izquierdas acaudillados por Martov tampoco se declaró partidario de los hechos consumados, pero decidió tomar una opción más inteligente y proponer una unión en un gobierno de todas las izquierdas. Trotski, como representante en el soviet de unos bolcheviques crecidos, rechazó la propuesta y con aspecto de lanzar una terrible profecía, los advirtió de que su futuro estaba en el *basurero de la historia*. Indignados, mencheviques y eseristas abandonaron las reuniones del soviet, dejando solos a los bolcheviques e instando a la formación de un Comité de Salvación Pública que, formado por un indeterminado número de organizaciones de lo más variado, como sindicatos, partidos o consejos agrícolas, pretendieron sin éxito formar un gobierno alternativo que agrupara a la mayoría de los rusos en contra de un gobierno bolchevique impuesto por la fuerza de las armas y de los engaños.

Los bolcheviques estaban acostumbrados a que sus enemigos políticos abandonaran los foros en medio de una conferencia, y como no tenían costumbre de suspenderla por esto, esta vez tampoco lo hicieron. El congreso, ahora unánimemente bolchevique, proclamó la legitimidad del golpe de estado y acordó un nuevo comité ejecutivo del soviet, íntegramente representado por bolcheviques. En la última sesión, Lenin anunció formalmente la composición del primer Gobierno Obrero y Campesino de Comisarios de Pueblo y sus primeros decretos.

El nuevo poder soviético no era aún más que un gobierno limitado exclusivamente a Petrogrado. La revolución había triunfado en la capital, pero aún faltaba por decidirse en las demás ciudades rusas. De ello dependía el primer paso para la supervivencia de un gabinete al que sus oponentes políticos no daban más que unos pocos días de vida. Sin embargo, la rápida unión de Moscú a la revolución reafirmó a los bolcheviques, generando un núcleo revolucionario muy importante en el polo Moscú-Petrogrado que dio un impulso definitivo al asentamiento del histórico gobierno proletario de Rusia. Los bolcheviques moscovitas, que habían acordado salir a las calles al mismo tiempo que los de Petrogrado, dudaron en el último momento. Solamente a partir del día 26, con el triunfo definitivo en Petrogrado, se echaron a las calles bajo las órdenes de un Comité Militar Revolucionario formado a imagen y semejanza del capitalino que conquistó sin resistencia los centros neurálgicos de la ciudad hasta hacerse con ella. Sin embargo, su retraso había dado tiempo a kadetes y contrarrevolucionarios para reorganizarse, de manera que pronto se libró una batalla campal en las calles, siendo reconquistados por las fuerzas antibolcheviques los centros de poder y el Kremlin, que se transformó en una fortaleza kadete. Sin embargo, el apoyo de un importante contingente de tropas proveniente de Petrogrado y otras ciudades cercanas que iban uniéndose a la revolución, aumentó abrumadoramente el peso numérico de los revolucionarios, haciendo caer pesadamente la balanza del lado bolchevique. El día 29 los guardias rojos recuperaban el control de centros vitales, y desde ellos se enviaron telegramas y correos hacia otras zonas de la región moscovita, extendiéndose la revolución junto con el anuncio de la existencia de una nueva legalidad bolchevique presidida por Lenin. El 2 de noviembre, las fuerzas bolcheviques tomaron el Kremlin al asalto. La revolución se afincaba en los dos centros de poder más importantes de la nación, extendiéndose como un reguero de pólvora por toda la geografía rusa. Las ciudades y regiones industrializadas fueron fácil presa de las tropas bolcheviques, mientras que en zonas rurales se llegó a importantes combates contra los Comités de Salvación Pública locales que se habían formado.

Para noviembre, el norte de la Rusia europea caía totalmente bajo poder revolucionario.

CALIFAS POR UNA HORA

El primer gobierno obrero de la Historia comenzó
a ser conocido por la denominación de Sovnarkom,
acrónimo de Soviet Narodnykh Komissarov o Soviet de
Comisarios del Pueblo. La exótica denominación no
ayudó a que los escépticos se tomaran en serio aquellos
primeros balbuceos de un régimen político a quien
nadie auguraba más de tres semanas de duración. Los
bolcheviques eran muy conscientes de su precariedad y
esa fue una de sus mayores virtudes. Estaban preparados para hacer frente a una repulsa generalizada de un
arco parlamentario que no aprobaba los métodos con
los que se habían encaramado al poder. A pesar de no
contar con su permiso, ni siquiera con su posterior
aprobación, Lenin y los suyos habían conquistado el
gobierno de Rusia no en su propio nombre, sino en el
del soviet. Al menos sobre el papel, el Sovnarkom se
debía al Congreso de los Soviets de toda Rusia, a quien
habían transferido el poder político, haciendo realidad
el lema aireado con tanta vehemencia por Lenin a partir
de las Tesis de Abril. Los bolcheviques se habían
presentado como un gobierno provisional que se arro-
gaba la tarea de administrar el país hasta la celebración
de las elecciones a la Asamblea Constituyente, previs-
tas para noviembre de aquel mismo año. Una Asamblea
repetidas veces reclamada por los bolcheviques que
ahora se les antojaba irritantemente molesta. Lenin
consideraba que, en el momento actual, la creación en
Rusia de una asamblea de corte burgués supondría una
dramática reversión de la Historia. Superada la fase
burguesa con la toma del poder bolchevique, había que
mirar hacia delante y poner las bases de una nueva

sociedad más justa y solidaria, dejando atrás la democracia liberal. Rusia había sido la primera nación de la tierra en dar el salto a la nueva etapa de la humanidad; no podía sino adentrarse ella sola en el inexplorado camino del comunismo a la espera de que otras naciones siguieran su estela. Y eso habría de hacerlo sin echar la vista atrás, obviando los elementos del pasado. La democracia burguesa habría de ser rebasada por la dictadura del proletariado, una etapa de tránsito hacia el comunismo, de oscuros contornos e ignorada duración, sobre la que hasta entonces los marxistas solamente se habían atrevido a teorizar. Para Lenin era un reto y una responsabilidad, una obligación histórica que no iba a abandonar aunque tuviera que arrastrar millones de cadáveres tras su estela. Un fin tan loable como la búsqueda de una sociedad auténticamente feliz, justa e igualitaria justificaba cualquier método, cualquier estrategia, cualquier masacre. Al fin y al cabo, nadie dijo que el camino hacia el comunismo iba a ser dulce.

La dictadura del proletariado fue interpretada por el leninismo como una dictadura de partido único del que emanarían las directrices a seguir por la población. Al fin y al cabo, no era más que una transferencia al estado de los conceptos y planteamientos del partido leninista. En consecuencia, una Asamblea Constituyente no tenía ninguna cabida, no solamente a causa de representar una institución eminentemente burguesa, sino porque además cercenaría la libertad de actuación del Sovnarkom. Del mismo modo, Lenin tampoco consideraba aceptable la supeditación de este a un parlamento obrero como el soviet. La consigna de *Todo el poder a los soviets* había sido ideada como estrategia para roer el poder del gobierno provisional y fortalecer a los bolcheviques; hasta entonces Lenin no había prestado demasiada atención a la institución soviética. Así pues, la teórica supeditación del Sovnarkom al soviet, enteramente dominado por bolcheviques, era más que ficticia. Como es de suponer en tal situación, el presidente del Soviet de Comisarios del Pueblo no estaba dispuesto a acatar las disposiciones de una Asamblea Constituyente que los bolcheviques pronto se encargarían de dinamitar. Lenin no iba a permitir que ninguna institución, organización o persona física cercenara ni un ápice el poder que el Partido Bolchevique se había arrogado por derecho de conquista.

Dentro del Sovnarkom pronto tomaron especial relevancia dos de las personalidades más activas del nuevo régimen: Stalin y Trotski. El primero de ellos acostumbraba a mantenerse más reservado que Trotski en sus apreciaciones personales, siendo para Lenin un fiel y eficaz brazo ejecutor. El segundo era un intelectual de altura que brillaba con luz propia, tanto escribiendo como arengando a las masas, y además de ser un excelente consejero, se reveló como un extraordinario gestor que Lenin siempre quiso mantener a su lado, a pesar de sus antiguas discrepancias. El líder bolchevique los consideraba igualmente imprescindibles y los mantuvo siempre muy cerca de las responsabilidades de gobierno, solicitando su colaboración en las tareas más importantes. De esta manera comenzó a dibujarse una especie de jerarquía ministerial que separó de hecho a los dos hombres en quienes Lenin puso toda su confianza, Trotski y Stalin, frente a un conglomerado de segundones que completaban el Sovnarkom. Muchos de ellos habían sido clasificados ya de antaño por Lenin con la denominación de «bebedores de té», y representaban a un sector moderado siempre dispuesto a llegar a pactos con otros grupos de la izquierda. Kamenev, Zinoviev y Bujarin se encontraban dentro de este grupo.

El nuevo gobierno de Lenin se apresuró a promulgar importantes y necesarios decretos, a fin de dar la sensación de que no existía vacío de poder y de que el gobierno proletario estaba dispuesto a atajar los males de la nación sin mayor pérdida de tiempo. En un principio no pasaron de ser una mera declaración de intenciones. Los trabajadores de la administración pública declararon una huelga en protesta por el golpe de estado bolchevique y en consecuencia el engranaje institucional quedó paralizado. Además, los bolcheviques dominaban tan solo en Petrogrado, y hasta que a principios de noviembre no se afianzaron también en Moscú no pudieron crear ese polo Moscú-Petrogrado que representó el primer paso de un largo asentamiento de su poder en toda la geografía rusa.

La huelga de funcionarios que se siguió a la toma del poder bolchevique estuvo a punto de comprometer al aún débil Soviet de Comisarios del Pueblo. Los funcionarios de los diversos ministerios, de correos, los administrativos del ferrocarril o de telégrafos se habían organizado rápidamente, y una primera insumisión dio lugar a una huelga generalizada dos días más tarde que dejó al nuevo gobierno falto de brazos para ejecutar sus disposiciones administrativas. Conocida es la anécdota que le ocurrió a Trotski cuando se presentó en el edificio que albergaba el ministerio de asuntos exteriores. Aún no se había declarado la huelga, pero los trabajadores no estaban dispuestos a permitir que un advenedizo se apropiara del cargo. El revolucionario se presentó como su nuevo jefe, y su pequeña alocución fue respondida a carcajadas, para posteriormente ningunearlo con descaro. Trotski les instó a que continuaran trabajando, pero los funcionarios abandonaron las oficinas del ministerio para iniciar así una huelga que haría temblar por unos días los frágiles cimientos del Sovnarkom. Algo parecido le ocurrió a Alexandra Kollontai, comisaria de Asistencia Pública, cuya condición femenina aumentó los recelos de los trabajadores, que no estaban acostumbrados a tener a una mujer como superior. En consecuencia, el gobierno en pleno fue acogido en el Smolny, concentrando dentro de sus paredes todos los comisariados y despachos de la pequeña burocracia bolchevique. El nuevo gobierno había sufrido una aparente derrota en el primer asalto. Los funcionarios habían conseguido arrinconarlo dentro del edificio del soviet sin poder hacer cumplir sus disposiciones, y la oposición política contemplaba con desidia a aquella caricatura de gobierno haciendo apuestas sobre el tiempo que iban a durar. Los bolcheviques iban a ser simplemente «califas de una hora», flor de un día que diríamos aquí.

Dentro del caos administrativo provocado por la huelga de funcionarios, el principal problema con el que se encontraron los bolcheviques, y el primero que resolvieron iniciando así la conquista de la administración estatal, fue la insumisión del Banco de Rusia. Las repetidas solicitudes de dinero no fueron tenidas en cuenta, y sin el preciado metal el Sovnarkom se veía imposibilitado para llevar a cabo por su cuenta las perentorias disposiciones de primera hora. Así pues, con fecha 7 de noviembre, los bolcheviques enviaron una nutrida delegación de militantes armados exigiendo el cumplimiento de las transferencias de dinero solicitadas, pero los funcionarios hicieron caso omiso. Diez días más tarde, la delegación gubernamental volvió acompañada de Guardias Rojos y militares, obligando a los funcionarios a abrir las cajas a punta de pistola hasta cubrir la suma de cinco millones de rublos. El dinero fue introducido en una bolsa y depositado encima del escritorio de Lenin, donde fue conservado hasta que se agotó. La primera disposición práctica que ordenó el primer gobierno revolucionario de la historia fue la comisión de un atraco.

En seguida comenzó la ocupación de los ministerios. Mediante el uso de la fuerza y con la inestimable colaboración de militares bolchevizados, los miembros del Sovnarkom y del partido se hicieron con el Banco de Rusia y los ministerios tal y como lo habían hecho con el gobierno ocupándolos y arrestando a los funcionarios insumisos. Los trabajadores de bajo perfil fueron inmediatamente promocionados a las categorías superiores, que estaban vacantes debido a la huelga de sus titulares. De esta forma se hacían con una red funcionarial fiel que debía su ascenso, su cargo y su futuro laboral al gobierno bolchevique, creando una tupida red de clientelismo que sería fundamental en la puesta en marcha del aparato burocrático soviético. Los nuevas funcionarios no eran tan capaces, pero se lo debían todo al Sovnarkom, lo que garantizaba su fidelidad. En aquellos momentos en los que lo primordial era asentar el dominio bolchevique, al Sovnarkom le importaba más esto que la eficacia real de los trabajadores.

Las primeras disposiciones del gobierno fueron promulgadas el mismo 26 de octubre. Se trataba de sendos decretos que afrontaban decididamente dos de las más ansiadas aspiraciones populares: la paz y la reforma agraria. El Sovnarkom se estrenó anunciando públicamente su voluntad de iniciar inmediatamente conversaciones con Alemania y Austria-Hungría a fin de llegar a un acuerdo de paz. La declaración gubernamental fue tan bien recibida por las capas desfavorecidas como desaprobada por las potencias aliadas de Rusia en la Primera Guerra Mundial. Los occidentales contemplaban con pavor la posibilidad de desaparición del frente ruso, que a pesar de sus limitaciones militares aseguraba el envolvimiento geográfico de Alemania y Austria-Hungría. El Sovnarkom dejó claras sus intenciones cuando derogó unilateralmente los acuerdos secretos que el anterior gobierno había contraído con sus aliados, haciéndolos públicos, lo que por los alemanes fue interpretado como una declaración sincera de que Rusia quería abandonar la guerra.

El segundo decreto se ocupaba de la distribución de la tierra y estaba ideado con el objetivo de satisfacer momentáneamente a los campesinos, muy lejos de las aspiraciones socialistas. La nacionalización de tierras cubría solamente —que no era poco para empezar— a los grandes terratenientes. Pronto llegaría la nacionalización de bancos y grandes empresas. La medida respondía más a un compromiso con un reparto más equitativo dentro de un sistema de propiedad particular y de mercado. Sin embargo, el decreto aseguraba también que la propiedad privada de la tierra quedaba abolida, de manera que dejó de ser enajenable. Las fincas de los grandes terratenientes fueron puestas a disposición de comités de aldeas, que se encargaron de adjudicarlas a los campesinos de forma equitativa. El decreto también abolía el trabajo asalariado en el campo y preveía diversas ayudas sociales sin profundizar demasiado en ellas. En realidad era más bien un esbozo. La labor de profundización se dejaba expresamente para la asamblea constituyente que se iría a formar a partir de las prometidas elecciones de noviembre.

Lenin no era partidario de mantener la pequeña propiedad en el campo. Consideraba acertadamente que esto no haría más que fomentar la competitividad capitalista, ya que los campesinos, una vez lograda su pequeña parcela en propiedad, se transformarían en una formidable fuerza contrarrevolucionaria. En la mente de Lenin no cabía más que la nacionalización completa de toda la tierra y los medios de producción, que serían distribuidos y administrados por el estado, no por comités locales autónomos. La transformación socialista de la sociedad reclamaba que las pequeñas propiedades campesinas fueran sustituidas por granjas colectivas organizadas por las directrices emanadas desde el Sovnarkom. Las fábricas y demás organismos participantes en el desarrollo económico de la nación también habrían de ser de titularidad estatal y organizadas totalmente por él. Lenin consideraba que el tránsito al comunismo solamente podría darse por medio de un reforzamiento insaciable de un estado que aspirase a la omnipotencia. Así tendría las manos libres para hacer los cambios oportunos de cara a la creación de una nueva sociedad sin clases e igualitaria[44]. Superado el proceso de transición, el estado iría perdiendo facultades. Pero mientras tanto, la clave era reforzar su dominio.

El dirigente bolchevique abjuraba tanto del parlamentarismo burgués como de la idea de soberanía nacional. Su gobierno no se debía al conjunto de la nación, sino a una clase social. El estado soviético tenía el deber histórico de ser clasista, de luchar por todos los medios para asegurar la victoria de los humildes sobre las clases privilegiadas, y la consecución de este objetivo pasaba ineludiblemente por la eliminación física de los ricos, los burgueses y los nobles. Como es comprensible, un parlamento en el que todas las clases y tendencias políticas tendrían su expresión no entraba dentro de sus concepciones ni de sus planes de futuro. Ni siquiera el propio soviet, ensalzado por Lenin como sustituto del parlamento burgués en los tiempos del socialismo, garantizaba el éxito en la carrera hacia el comunismo. Así pues, en una fecha tan temprana como el 4 de noviembre, se sancionó la supremacía de hecho del Sovnarkom, pudiendo este concentrar la potestad legislativa y ejecutiva sin que fuera necesaria la aprobación previa del soviet. Esta aprobación se dejaba para un momento posterior. Sobre el papel, el soviet seguía siendo el órgano supremo, el representante de la soberanía del pueblo trabajador a quien el Sovnarkom

---

[44] El primer esbozo de lo que se ha venido en denominar «totalitarismo» se dio en la Rusia de Lenin. El término cobró celebridad cuando el fascista italiano Benito Mussolini comenzó a utilizarlo con profusión, ajustándolo a un ideal de concentración de todo el poder dentro de un estado omnipotente y omnipresente. Si bien el totalitarismo es un rasgo definitorio del ideal fascista y en un principio fue utilizado para definir a este tipo de regímenes políticos, hoy se sabe que la Italia de Mussolini quedó muy lejos del concepto, siendo la URSS de Stalin y la Alemania de Hitler dos de los ejemplos más acabados de totalitarismos en el siglo XX.

estaba supeditado, pero a efectos prácticos el ejecutivo pudo gobernar y legislar a placer sin ningún tipo de cortapisa. La situación quiso ser justificada por la urgencia, aduciendo que el debate y posterior aprobación en el seno del soviet ralentizarían la aplicación de unas reformas muy necesarias. La oposición fue aplacada alimentando la esperanza de que las cosas se pondrían en su sitio una vez que la asamblea constituyente echara a andar. Nada más lejos de la realidad.

El Sovnarkom se transformó en una máquina de hacer decretos. Antes y, por supuesto, después de arrogarse la facultad de gobernar sin la necesidad de una ratificación previa, el Sovnarkom realizó una enorme labor reformista en todos los ámbitos de la sociedad, comenzando por la referida nacionalización y reparto de la tierra, y siguiendo por decretar el control obrero en las fábricas. También se impuso la censura. Con fecha tan temprana como el 27 de octubre, Lenin firmó un decreto estableciendo una primera restricción de la libertad de prensa que sería progresivamente ampliada a medida que pasaba el tiempo. Consideraba que uno de los pilares básicos que garantizaban la supervivencia de la revolución consistía en acallar los órganos de expresión de sus adversarios políticos, aduciendo cínicamente que los bolcheviques habrían de imitar y superar los métodos represivos de los zares, porque hasta entonces aún no se había descubierto ninguna forma mejor para mantener en pie a un gobierno rodeado de enemigos. La vieja campaña bolchevique a favor de la libertad de prensa se hizo añicos en cuanto se instalaron en el poder, escudándose en la defensa de una revolución que estimaban necesaria a pesar de lo que creyeran los demás partidos políticos. Imbuido de una cierta conciencia mesiánica, el sector duro del bolchevismo pretendía ser infalible en sus planteamientos y objetivos, aplicando lo que consideraban que era bueno para el pueblo, aun sin su aprobación. Como era ya costumbre, la medida que inauguraba el régimen de censura fue anunciada como necesaria y temporal, con la vista puesta en asegurar la estabilidad de Rusia hasta que se celebraran las elecciones. La enclenque justificación no satisfizo a los trabajadores del sector, que amenazaron con una huelga hasta que fuera restablecida la libertad de prensa. En consecuencia, el CMR, que actuaba en nombre del soviet pero en realidad bajo poder del gobierno, desató una serie de violentas *razzias* de estilo chulesco del que poco más tarde también harían gala las escuadras fascistas italianas. Los Guardias Rojos asaltaron las sedes de los diarios de la oposición con especial detenimiento en los kadetes, destrozando imprentas y mobiliario con toda la impunidad que les daba actuar bajo las órdenes del gobierno. Comenzaban así las primeras confiscaciones y los arrestos políticos, tan habituales durante el largo régimen soviético.

El 29 de octubre se decretaron la jornada laboral de ocho horas y el derecho de todos los ciudadanos a recibir educación universal y gratuita. El gobierno celebró las medidas como el triunfo de los desheredados, que por fin veían sancionadas legalmente unas reformas tan largamente esperadas y que tantos beneficios les iban a aportar. Lenin consideraba que esta era una de las razones primordiales que justificaban la necesidad de un gobierno fuerte exclusivamente integrado por bolcheviques, sin la injerencia de ningún otro grupo político[45], un argumento que provocó serias disputas en el seno del partido, entre el sector duro y los «bebedores de té».

---

[45] Los bolcheviques premiaron la fidelidad de los eseristas de izquierda, un grupo político radical que había roto amarras con el Partido Social-revolucionario, admitiendo una pequeña representación en el Sovnarkom. Los eseristas de izquierda habían acompañado a los bolcheviques dentro del CMR y fue el único partido que aprobó la toma leninista del poder. Después de la firma de la Paz de Brest-Litovsk, el 3 de marzo de 1918, abandonaron el gabinete. Desde entonces el Sovnarkom quedaría integrado exclusivamente por bolcheviques.

Тов. Ленин ОЧИЩАЕТ
землю от нечисти.

Cartel propagandístico en el que se ve a Lenin barriendo del mundo a ricos, monarcas y eclesiásticos. La ofensiva contra cualquier elemento considerado contrarrevolucionario fue uno de los puntos fuertes del gobierno Lenin.

Las reformas del nuevo régimen seguían adelante y con fecha 2 de noviembre se hizo pública la *Declaración de los Derechos de los Pueblos de Rusia*, por la que se reconocía la libre disposición de las nacionalidades a disponer de sí mismas, admitiendo incluso la posibilidad de una independencia con respecto al conglomerado ruso. Como había hecho con campesinos y obreros, Lenin tan solo quería ganarse a las nacionalidades, ya que en silencio abjuraba de ellas y aseguraba que por encima de cualquier reivindicación nacionalista estaba la lucha de clases. Preveía la autodeterminación como un elemento de estrategia política que, bien jugado, facilitaría la posibilidad de que las naciones desarrolladas como Alemania, pudieran unirse políticamente a la república soviética rusa una vez triunfara la que esperaba inminente revolución occidental. Los gobernantes de la nueva Rusia propugnaban una unión voluntaria de las distintas naciones que compusieron el antiguo Imperio de los zares, pero nunca se plantearon seriamente la posibilidad de admitir ninguna separación efectiva, a excepción de la de Finlandia, que resistió exitosamente repetidas intentonas soviéticas de reintegración en la órbita rusa. De una forma un tanto confusa, Lenin afirmaba que «estamos contra la separación, pero a favor del derecho a la separación» al tiempo que no le temblaba la voz al asegurar que «los intereses del socialismo son mil veces superiores al derecho de las naciones a disponer de sí mismas». Con eso lo dejaba todo muy claro. Era mucho más importante luchar por la justicia social que por una identidad nacional, aliado potencial de los capitalistas al integrar a patronos y obreros dentro de un mismo conjunto sentimental llamado nación. De hecho, para los bolcheviques el discurso nacionalista solamente tenía validez de forma coyuntural, en cuanto que podría ser estratégicamente favorable a sus aspiraciones. La «prisión de pueblos zarista» se transformó así en una «unión voluntaria dentro de la república soviética rusa», siempre que dicha voluntad se ajustara o no estuviera en discrepancia con los intereses del pueblo obrero, que casualmente siempre coincidía con los del Sovnarkom; no en vano, la encarnación del pueblo trabajador y explotado que era el Soviet siempre se mostraba de acuerdo con el gobierno. La relación de los soviets con las nacionalidades había comenzado con buenas palabras, pero pronto se descubrió cruel. Los bolcheviques se encargaron de enmudecer las primeras declaraciones de independencia con el ruido de sus cañones, para terminar aplicando una feroz política de rusificación en tiempos del georgiano Stalin.

Si bien la actitud del Sovnarkom en lo concerniente al problema de las nacionalidades no era del todo confesable, después de aquel posicionamiento radicalmente favorable al derecho de autodeterminación, la destrucción física de la aristocracia y la burguesía era otro cantar. Era este un objetivo declarado que se puso en práctica sin ningún límite en cuanto a formas de humillar y vapulear al hasta entonces sector dominante de la sociedad. Los primeros momentos de la revolución bolchevique fueron testigos de una oleada de salvajismo popular contra los ricos, que fue jaleada por las nuevas autoridades locales, fomentada desde el gobierno central y encarnada por unas clases pobres sobre cuyas conciencias descansaban siglos de esclavitud, hambre y desprecios a manos de quienes eran objeto ahora de la ira popular. Las voces de los Guardias Rojos animándoles a descargar toda su rabia contra ellos encendieron una mecha que ni pudo ni quiso ser apagada por el presidente del Sovnarkom. El pueblo se tomaba la justicia por su mano con la aquiescencia de las instituciones, ayudados en muchas ocasiones por los representantes bolcheviques de cada localidad.

La «violencia purificadora» de los primeros momentos impresionó grandemente a los representantes del sector moderado del partido bolchevique, los «bebedores de té» que diría Lenin. No dudaron en elevar una queja para mostrar su horror ante los crímenes que tan impunemente se estaban cometiendo a lo largo y ancho del país. Lenin no tuvo en cuenta sus razones. Aseguró que se hallaban inmersos en la primera etapa del proceso de liquidación física de la burguesía, el momento caótico de las venganzas populares. Sería una operación tan brutal y dolorosa como imprescindible para lograr el objetivo de alcanzar el ideal comunista. Tan brutal y dolorosa como un difícil parto o una complicada extirpación de un órgano enfermo, pero así de imprescindible. Los bolcheviques habían iniciado una guerra de exterminio contra la burguesía y las clases pudientes de cualquier tipo, y quien no fuera capaz de soportar la crueldad de esta primera etapa no merecía llamarse a sí mismo bolchevique.

> En un lugar meterán a la cárcel a una docena de ricos, a una docena de delincuentes, a una docena

de obreros que eluden el trabajo —afirmó Lenin—. En otro lugar los pondrán a limpiar letrinas. En un tercero, tras pasar un tiempo en la cárcel, les harán llevar etiquetas amarillas, para que la gente sepa que son perjudiciales y pueda vigilarlos. En un cuarto, fusilarán a uno de cada diez vagos. Cuanta más variedad mejor, porque solo mediante la práctica se pueden identificar los mejores métodos de lucha.

La implantación

Lenin había interiorizado la idea de que un régimen socialista no podría establecerse con éxito y de forma duradera sin recurrir al terror; un terror que definía como implacable y destructor, y que comenzó comportándose de manera caótica hasta terminar siendo dirigido por la fría burocracia estatal. Desde el gobierno «se llamó a la guerra a muerte contra los ricos, los holgazanes y los parásitos. (Había que) limpiar la tierra rusa de todos los piojos, de todas las moscas carroñeras, de todos los malditos ricos y gente semejante».

Era una guerra sin reglas conducida por un pueblo extraordinariamente susceptible de ser manipulado hasta llegar a hacer cosas verdaderamente terribles. En cada pueblo, barrio o aldea surgieron tribunales revolucionarios formados por iracundos campesinos y soldados bolchevizados sobre quienes recayó la responsabilidad de administrar la mal llamada *justicia popular* contra quien considerasen contrarrevolucionario. El mero hecho de tener manos finas y suaves era un indicativo de pertenencia a la clase acomodada, y en consecuencia de ser un contrarrevolucionario, culpa que en su mayoría pagaban con la vida. Los asesinatos masivos, las torturas públicas jaleadas por los miembros de la Guardia Roja en las que participaban anónimos ciudadanos para descargar su rabia secular contra los adinerados, se transformaron en una práctica habitual en la Rusia rural. Vano es decir que, por supuesto, los condenados eran ejecutados sin haber mediado pruebas concluyentes de ningún delito.

El nuevo estado en formación era, para Lenin, un «sistema de violencia organizada» contra los adinerados y los poderosos de antaño. La piedad no era una virtud, sino una debilidad. Así pues, los hogares y propiedades de la gente pudiente fueron asaltados y desvalijados, transformándose Rusia en una gran hoguera en la que ardería el viejo mundo desde los cimientos. Pero la anarquía de los primeros momentos no era suficiente para garantizar la destrucción de las clases indeseables. Un terror sistemático como el que Lenin deseaba solamente podía garantizarse desde el propio estado, de forma que los primeros momentos de desorden revolucionario dieron paso a un terror consciente, organizado y burocratizado que echó sus raíces a partir de la fundación, en diciembre de 1917, de la Chrezvichainaya Kommisiya, más conocida por sus iniciales CH-K (la Cheka). Su nombre significa *Comisión Panrusa Extraordinaria para combatir la Contrarrevolución y el Sabotaje*. Fue creada para descubrir y eliminar a todos los enemigos de la revolución, transformándose en una de las policías políticas más legendarias y eficaces de la historia. La sede de la Cheka, que subsistió plena de vigor hasta la desintegración de la Unión Soviética en 1991[46], se radicó en la calle Lubianka número veintidós de Moscú, una tenebrosa dirección que ha pasado a la historia como sinónimo de desapariciones, torturas y horror.

La Cheka asumió las atribuciones del Comité Militar Revolucionario, que fue disuelto para ceder a la

---

[46] A lo largo de su dilatada historia, la Cheka adoptó diferentes denominaciones, las más conocidas de las cuales son NKVD y KGB.

nueva organización la dirección completa de la destrucción física de las clases dominantes. Corrigió la desorganización de los tribunales populares y organizó batallones de trabajo con los «ricos» que aún no habían sido fusilados o descuartizados por las iras del pueblo. Bajo el lema de «el que no trabaja no come» se les obligó a realizar labores manuales como cavar zanjas o recoger la basura de las calles a cambio de un pobre rancho y las burlas de los campesinos. Otros corrieron mejor suerte, siendo obligados a acoger en sus casas a campesinos que ocupaban las habitaciones más importantes. La iglesia tampoco se salvó del vendaval, comenzando así la rueda de deportaciones, ejecuciones y persecución generalizada contra el clero ruso. Los templos fueron desacralizados para ser transformados en almacenes, centros de reunión o arsenales. Gran parte de las víctimas de la Cheka fueron procesadas sin ninguna base, empujados por denuncias producto de las envidias entre vecinos. La Cheka lo sabía, pero no hizo nada por evitarlo. Debía de imponerse el terror aunque tras él fueran arrastrados muchos inocentes. La dictadura del proletariado solo podría sostenerse aplicando el terror con una intensidad máxima. De esta forma, cualquiera podía ser considerado contrarrevolucionario, lo que hizo que después del inicial caos revolucionario la gente se volviera más dócil, facilitando el asentamiento del poder bolchevique. El 30 de diciembre, el eserista Axentiev fue arrestado acusado de actividades contrarrevolucionarias. Era el primer político de izquierdas que caía víctima de la depuración política.

Aristócratas, ricos comerciantes, políticos de la derecha y algunos de la izquierda comenzaron así a vivir su particular odisea con el objetivo de escapar de la zona controlada por el gobierno bolchevique. Escondidos en los lugares más peregrinos, disfrazados de campesinos o auxiliados por algunos de sus antiguos servidores, los perseguidos por el régimen se concentraron en zonas como Ucrania y determinados puntos de Siberia, donde comenzaban a formarse núcleos de resistencia a la Rusia soviética. Pronto destacó la región del Don como centro nuclear de un movimiento opositor libre del dominio comunista. Comenzó a ser conocida como la zona *blanca*, en contraposición a la Rusia *roja*. Se iniciaba una peligrosa bipolarización política que desembocará en el estallido de una guerra civil entre *rojos* y *blancos*. El general Kornilov, que había logrado huir de su cautiverio, se reunió en la zona blanca del Don para unirse al general Kaledin, que había organizado un pseudoestado presto a reconquistar la Rusia controlada por los bolcheviques. Enseguida se formó una especie de gobierno con una fuerte impronta derechista que organizó velozmente una fuerza de choque denominada *Ejército Voluntario*, germen de lo que serían las fuerzas militares blancas. Su rápida organización fue premiada con la ayuda militar y política de Francia y el Reino Unido, que veían con impotencia cómo su aliado oriental estaba dispuesto a pactar la paz por separado con Alemania y Austria-Hungría. De esta forma, tropas auxiliares procedentes de estos países desembarcaron en Rusia para ponerse a las órdenes de los generales blancos[47]. Esto no transformó a los blancos en aliados automáticos de Francia y Gran Bretaña. Las diferentes sensibilidades políticas que se habían refugiado bajo el bloque blanco delataban una cohesión más aparente que real. Hombres conservadores como Milukov no se cerraban a la posibilidad de llegar a un acuerdo con los alemanes, al tiempo que el sector

---

[47] Tropas de otras muchas nacionalidades, como Japón o Estados Unidos también pusieron pie en suelo ruso, sobre todo a partir de la firma, el 3 de marzo de 1918, de la paz de Brest-Litovsk, de la que se hablará más adelante. También los alemanes apoyaron a su modo la ofensiva blanca ocupando Ucrania y expulsando de allí a las fuerzas rojas.

más partidario de instalar en Rusia una república parlamentaria dirigía sus miras hacia las potencias occidentales. Una terrible guerra civil se desperezaba lentamente, con los blancos políticamente desunidos pero ferozmente decididos a acabar con el poder de Lenin y un total de cincuenta mil soldados extranjeros apoyándolos en suelo ruso.

Los soviets respondieron profundizando en el control del estado. La guerra civil sería en el futuro próximo una buena excusa para ello, de manera que la dictadura de partido se volvió cada vez más asfixiante. Los bolcheviques se renombraron como comunistas, dándole a su agrupación la denominación de Partido Comunista, significando así su definitiva ruptura con los socialistas de la Segunda Internacional. Comenzaba una etapa de expansión que prometía tragarse a toda la sociedad. El dominio comunista dentro de los diferentes soviets fue reforzado espectacularmente dando más poder a los soviets fuertes como el de Moscú o Petrogrado, donde los bolcheviques eran mayoría, y disolviendo *manu militari* los soviets contestatarios, considerados «contrarrevolucionarios», la palabra mágica que iba a justificar cualquier abuso. Tal y como había ocurrido con los ministerios, dentro de los soviets se desarrolló un proceso de depuración política que los transformó en centros bolcheviques, fieles seguidores de las directrices emanadas desde el Sovnarkom. La mera exposición de la idea de aliarse con otras fuerzas políticas de la izquierda fue considerada herética, de forma que «bebedores de té» como Kamenev fueron expulsados del Comité Central por mostrarse favorables a la unidad de la izquierda y horrorizarse ante la «justicia revolucionaria»[48].

Las elecciones para la Asamblea Constituyente se celebraron, como se había prometido, el 25 de noviembre de 1917. La oposición esperaba como agua de mayo una convocatoria que todo el mundo tomaba como un sondeo de opinión sobre la gestión de los bolcheviques. Con respecto a la pertinencia de la asamblea, dentro del partido bolchevique convivían dos sectores: uno favorable a mantener la convocatoria, y otro más cercano a las tesis de Lenin, partidario de aplazarla hasta que ocurriera algo que justificara su no celebración. Sin embargo, el mismo Lenin era consciente de que anular las elecciones no era posible, así que mantuvieron la convocatoria. Meses atrás, los bolcheviques se habían mostrado apasionados defensores de la constituyente, argumentando además que Kerenski no estaba interesado en celebrar los comicios porque planeaba una contrarrevolución. No podían desdecirse ahora. Había que celebrarlos, al fin y al cabo el Sovnarkom esperaba que su profusión de decretos sobre la paz, sobre el campo, sobre la jornada de ocho horas, sobre la educación universal y gratuita, sobre el control obrero de las fábricas o sobre las nacionalidades tuviera la virtud de posicionar a los votantes hacia un veredicto favorable de su gestión. Las elecciones se iban a celebrar, pero a pesar de todo Lenin mantuvo una sorda batalla dentro del partido para intentar convencer a sus militantes de que la Asamblea era una institución burguesa y por tanto representativa del mundo que los bolcheviques tanto se estaban esforzando en destruir. Los soviets eran una forma de democracia mucho más profunda porque eliminaba el elemento burgués, concluyendo que «reconocer la soberanía de la asamblea constituyente sería un retroceso en relación con el poder de los soviets». Los argumentos calaron y aunque el mantenimiento de la convocatoria de elecciones no se discutió, el Sovnarkom dio luz verde a una bien meditada represión contra la derecha liberal, centrada principalmente

---

[48] Los moderados se retractaron en seguida, siendo redimidos y reintegrados a puestos de primera línea administrativa y política.

en el cierre de medios de comunicación y encarcelamiento de dirigentes kadetes. La asamblea sería básicamente de izquierdas.

Los resultados electorales hicieron mucho daño al gobierno. Los eseristas se revelaron como la fuerza más votada, obteniendo la mayoría absoluta con un 55% de los votos contra el 24% conseguido por los bolcheviques. Los resultados dejaban a los de Lenin en minoría y virtualmente fuera del gobierno. La reacción de Lenin fue virulenta. No iba a permitir que una «anécdota» como aquella echara a perder todo el trabajo realizado. En consecuencia, el gobierno argumentó que los resultados electorales no podían considerarse legítimos, porque muchos votantes rurales pudieron actuar influidos por los terratenientes, un argumento poco creíble en plena ofensiva del *terror rojo*. Los bolcheviques habían logrado la mayoría en ciudades obreras como Petrogrado o Moscú, y para ellos eso era lo importante: los obreros libres, no influenciados y conscientes habían votado bolchevique. Además incluyeron el argumento leninista de que la Asamblea Constituyente era una reliquia del mundo antiguo que se estaba derrumbando.

La etapa comprendida entre diciembre de 1917 y enero de 1918, momento de la apertura de la Asamblea, se caracterizó por la ofensiva bolchevique contra los defensores de la constituyente, que se agruparon en una liga denominada *Unión para la Defensa de la Asamblea Constituyente*. El Sovnarkom consideró contrarrevolucionarios tanto a los miembros de la Unión como a sus objetivos, pero todavía no se decidió a arremeter contra ellos. El 28 de noviembre, la Unión organizó una movilización exigiendo la pronta apertura de la Asamblea, ya que corrían rumores de que los bolcheviques no estaban dispuestos a ello. Los manifestantes tuvieron que verse las caras con un nutrido contingente de soldados que rodeaban el edificio de la

Duma, a donde se presumía que iba a confluir el final de la marcha. Los manifestantes no se atrevieron a enfrentarse a las tropas y disolvieron la movilización. Esto no fue óbice para que el gobierno tomara la decisión de ilegalizar fulminantemente al partido kadete, considerado *alma mater* de la Unión. Después de castigarla a base de cierres y arrestos, los bolcheviques eliminaban de un plumazo a la derecha liberal, y lo hacían con la excusa de que la manifestación era contrarrevolucionaria y peligrosa para la estabilidad de la nación. Los presos políticos de toda condición no tardarían en desbordar las cárceles de Petrogrado.

El 12 de diciembre Lenin hizo públicas sus opiniones sobre la Asamblea Constituyente, exigiendo su clausura por considerar que el poder soviético había eliminado su necesidad. El siguiente paso fue la convocatoria de un Tercer Congreso de los Soviets que finalmente habría de celebrarse poco después de la apertura de la asamblea, a fin de que «el pueblo oprimido pudiera dictar sentencia a la Constituyente». El 14 de diciembre se publicó un decreto de nacionalización de bancos y de las grandes fábricas; poco a poco, la economía iba desprivatizándose para concentrarse en manos del estado, lo que no auguraba precisamente que el Sovnar-kom tuviera previsto un hipotético abandono de la responsabilidad gubernamental. Finalmente, con fecha 18 de enero de 1918, se abrió la Asamblea Constituyente.

Petrogrado se despertó literalmente ocupada por fuertes contingentes militares auxiliados por la Guardia Roja. Se había decretado la ley marcial en toda la ciudad y el edificio de la Duma aparecía rodeado de un gran aparato bélico, asemejando más un fortín que un parlamento. Si uno miraba hacia arriba podría comprobar que los tejados estaban copados por francotiradores que controlaban los centros neurálgicos de la capital, mientras numerosos vehículos militares patrullaban las calles. Era un estado de sitio. Aquella mañana los miembros de la Unión habían organizado un desfile reivindicativo en favor de la asamblea, que culminaría con la entrada de los diputados en el edificio bajo un eslogan sospechosamente similar al de los bolcheviques: «Todo el poder para la Asamblea Constituyente». Lenin se lo tomó como una provocación.

Cuando la marcha enfilaba la avenida que desembocaba en el palacio Taúrida, los francotiradores dispararon sobre la muchedumbre, con un resultado de diez muertos y numerosos heridos. El acontecimiento ha sido comparado con el *Domingo Rojo* de 1905, si no con respecto al número de fallecidos, sí por lo que se refiere a la actuación de la soldadesca y el gobierno frente a una manifestación pacífica. Los diputados fueron presa de la estupefacción natural, algo con lo que el Soviet de Comisarios del Pueblo ya contaba, esperando que esto les llevara a protestar y no entrar en la asamblea, pero no fue así. Hacia las cuatro de la tarde, los miembros de la Duma ocuparon sus escaños en medio de un ambiente extremadamente tenso. El palacio Taúrida era territorio gubernamental, y se notaba: con la salvedad de los bolcheviques, todos los diputados fueron cacheados en la entrada principal, para encontrarse, ya dentro del edificio, con un buen número de soldados armados que ocupaban tanto los pasillos como la parte trasera de la sala de plenos, bebiendo vodka, fumando tabaco barato y acomodando groseramente sus pies sobre el respaldo de los escaños. El ambiente se tensó aún más, pero aun así se iniciaron las sesiones. Como era tradición, el eserista Schvetzov, el diputado de más edad, iba a ser el encargado de leer el discurso inaugural, pero fue interrumpido por las mofas y los abucheos de los soldados de la parte trasera y toda la plana de los diputados bolcheviques hasta que finalmente, al ser imposible su alocución, calló. Un nuevo orador, hablando en representación del

Soviet de Comisarios del Pueblo apartó a Schvetzov de un empujón y leyó ante los boquiabiertos diputados la *Declaración de los Derechos del Pueblo Trabajador y Explotado*, cuyo máximo valor residía en que su aprobación por la cámara supondría dejarla vacía de contenido, ya que en su articulado incluía la exigencia de la transferencia de todo el poder a los soviets. La Declaración fue discutida por los representantes de las diferentes opciones políticas y finalmente votada. Como era de esperar, fue rechazada con un saldo de 237 votos contra 146, en vista de lo cual los bolcheviques abandonaron la sala afirmando que la Asamblea era una reunión de contrarrevolucionarios. Sin su molesta presencia, los diputados siguieron adelante agradeciendo el no tener que soportar el escandaloso comportamiento de los bolcheviques, que no habían dejado hablar a Schvetzov, ni a Viktor Tchernov, antiguo ministro de agricultura escogido ahora como presidente de la Constituyente, ni a ningún representante de ninguna alternativa distinta a la suya. Los bolcheviques habían premeditado cuidadosamente aquella actitud provocativa. Hasta el mismo Lenin, desde la bancada del gobierno, dio a entender que la asamblea le importaba un bledo hablando con fuertes voces, charlando con los de su alrededor y haciendo bromas sobre los oradores; incluso llegó a simular que se había quedado dormido. Así pues, si bien la marcha de los bolcheviques representó un inmenso alivio para los restantes diputados de la cámara, la alegría no fue completa, ya que los soldados que copaban los pasillos y las filas traseras tomaron el relevo de los de Lenin hablando a grandes voces mientras apuraban, una tras otra, botellas de vodka barato. Las risas y chanzas de los soldados medio borrachos pusieron la música de fondo a una sesión inaugural que aprobó varios decretos que validaban gran parte de la obra del gobierno, principalmente en lo referente a la paz y la reforma agraria.

Eran casi un calco de los ya aprobados por el Sovnarkom, pero fueron votados para resaltar la superioridad de la Asamblea Constituyente sobre el gobierno bolchevique provisional que había mantenido el poder hasta entonces y que, ingenuamente, eseristas y mencheviques pretendían sustituir en breve. Más decretos se hubieran aprobado si la sesión no hubiera sido interrumpida por un marinero que, hacia las cuatro de la mañana, se hizo con la palestra del orador para advertir a los diputados que fueran pensando en marcharse, justificando su aseveración en el hecho de que los soldados ya estaban cansados. Semejante acto de desprecio por la Asamblea fue rebatido por el presidente Tchernov, que se enfrentó al militar afirmando que los diputados también lo estaban, pero su responsabilidad histórica en la construcción de los pilares de una nueva Rusia era más importante. El argumento no pareció afectar lo más mínimo al marinero, que amenazó con cerrar el parlamento si la sesión se alargaba en demasía. Tchernov continuó adelante por dignidad, pero a los veinte minutos, mediatizado por los soldados del fondo que jugaban a apuntar a los miembros de la Asamblea con sus rifles cargados, dio por terminada la primera sesión de la Asamblea Constituyente.

Los representantes parlamentarios volvieron a sus casas con el regusto dulce del deber cumplido y el amargor producido por la humillación constante a la que se vieron expuestos. Muchos se preguntaban si la segunda sesión iba a ser igual o si de alguna manera la situación se encarrilaría satisfactoriamente una vez que la Asamblea se asentase. Aún había mucho trabajo legislativo por concluir. Las esperanzas de los diputados se vieron truncadas al día siguiente, cuando se encontraron con las puertas de la Duma cerradas a cal y canto y el edificio cubierto por denso manto de soldados que, arma en ristre, amenazaban con disparar a quien pretendiera acercarse. Los soldados afirmaban que tenían órdenes del Sovnarkom de no dejar pasar a nadie, en cumplimiento de un decreto del Segundo Congreso de los Soviets, que como sabemos era totalmente bolchevique por el abandono de las demás fuerzas políticas el 26 de octubre. El mandato soviético disponía la disolución inmediata de la Asamblea Constituyente por considerarla contrarrevolucionaria, burguesa y atentatoria contra el poder popular, legítimamente representado en el soviet y no en la Asamblea. El soviet asumía la herencia representativa de la Asamblea. Y los indignados diputados fueron disueltos a tiros. Se abría de esta forma tan poco convencional una nueva etapa en la historia de Rusia, en la que serían los soviets, totalmente dominados por los bolcheviques, quienes aglutinarían legalmente toda la representación popular.

Los diputados volvieron a sus casas furiosos por lo sucedido. Pero aquel mismo 19 de enero, antes de que tuvieran oportunidad de organizarse para hacer frente a las arbitrariedades del Sovnarkom, el soviet cerró su Tercer Congreso confirmando la disolución de la asamblea burguesa, proclamándose como único representante popular legítimo en sustitución del parlamento burgués. Como tal, se ocupó de aprobar al pie de la letra todos los decretos del gobierno, de forma que el colosal trabajo de los diputados de la Asamblea fue en vano, y por supuesto la *Declaración de Derechos del Pueblo Trabajador y Explotado*, sancionándose legalmente el traspaso de todo el poder a los soviets. Igualmente, se puso fin al epíteto de «provisional» que hasta entonces había tenido el gobierno de Lenin, encargando al mismo la puesta en marcha de un organigrama institucional para la formación de una república socialista soviética rusa con miras a la consecución del comunismo. Así se ratificó legalmente la toma bolchevique del aparato estatal y la consecución de los objetivos de Lenin se transformó en la estrella que guiaría al nuevo estado, al que ya se le conocía por la denominación de «soviético». A partir de entonces, y ya con las manos libres para hacer y deshacer, Lenin estimuló la creación de tribunales especiales para los delitos de prensa: toda crítica contra el partido bolchevique y el Sovnarkom quedó tipificada como delito, iniciándose así un proceso de grave estrechamiento de la libertad personal y colectiva que terminaría reducida a su mínima expresión. Ilegalizada la derecha, ahora les tocaba el turno a las izquierdas, empezando, irónicamente, por los eseristas de izquierdas. Uno detrás de otro, todos los partidos políticos de la Rusia republicana correrían la misma suerte.

EL ELEMENTO EXTERNO

Rusia arrastraba un secular problema nacionalista de gran envergadura que explotó a la par que la revolución iniciada el 25 de octubre. El mismo día del golpe, una oleada de declaraciones de independencia sacudió los cimientos del antiguo Imperio de los zares, amenazándolo con la disgregación. Finlandia y Ucrania fueron dos de las más importantes nacionalidades que rompieron amarras unilateralmente con Rusia, pero también en zonas menos desarrolladas como el Cáucaso, armenios, azeríes y demás pueblos aspiraron a lo mismo. Las nacionalidades más conscientes de su identidad eran, precisamente, las más ricas e industrializadas, y eso era un problema. Si bien en el caso finlandés las aspiraciones independentistas llegaron a buen puerto con relativa facilidad, en el de Ucrania, por ejemplo, se multiplicaron las dificultades ante la negativa rusa de abandonar un territorio que con gran acierto era conocido como el «granero de Rusia». Polonia también era una zona a mantener para los rusos, vital debido a su gran desarrollo económico, así como los Países Bálticos, cuya aportación a la economía rusa era mucho más vigorosa que la de las nacionalidades menos desarrolladas de Asia

Central y el Cáucaso. Esta última región también era muy importante para los rusos, debido a su fuerte potencialidad en la extracción de petróleo y minerales.

El Sejm (parlamento) finlandés declaró unilateralmente la independencia de su nación con fecha 6 de diciembre de 1917. Los finlandeses consideraban que una vez transformada Rusia en república y destronada definitivamente la dinastía Romanov, ya no tenía sentido alguno mantener entre Finlandia y Rusia la débil vinculación que les unía hasta entonces. Legalmente, Finlandia nunca fue considerada territorio ruso, ya que se mantenía unida a Petrogrado en cuanto que el zar contaba entre sus títulos hereditarios con el de Gran Duque de Finlandia, de manera que lo único que unía a ambas naciones era la persona del zar. Sin él, los finlandeses reclamaban una independencia total. Así pues, el nuevo comisario para las nacionalidades, Iósif Stalin, inició a partir de diciembre conversaciones con el Sejm que desembocaron en la aceptación rusa de la independencia finlandesa el 31 de diciembre de 1917. A pesar de los parabienes rusos, el presuntamente «autodeterminista» Sovnarkom no renunció nunca a la recuperación de Finlandia, de forma que en enero de 1918 presenció el inicio de una terrible guerra civil finlandesa entre los partidarios del Sejm y los bolcheviques finlandeses, que pretendían la integración «voluntaria» a la república socialista soviética. La formación de un estado soviético finlandés en el sur con apoyo de Rusia, empujó al Sejm a solicitar la ayuda de Alemania, que no dudó en acudir a la llamada destrozando las resistencias *rojas*. La victoria del Sejm salvó a Finlandia de una reintegración en Rusia bajo la máscara de una ficticia voluntariedad, pero a costa de una auténtica masacre: la represión alemana contra los partidarios de la efímera República Soviética del sur de Finlandia dejó un saldo de más de veinte mil muertos. Además, Finlandia pasaba de la órbita rusa a la alemana. Sin embargo, Rusia no reconoció al gobierno que había salido victorioso de la contienda civil, de manera que continuó apoyando a los comunistas finlandeses en sus intentos de desestabilización hasta que el 14 de octubre de 1920 se vio obligado a reconocerlo y, de rebote, la independencia efectiva de aquella nación. Parecida fue la experiencia de las repúblicas bálticas, muchas de ellas ocupadas ya por los alemanes en su avance militar, que declararon unilateralmente sus independencias con la garantía germana.

El nacionalismo ucraniano se contaba, junto con el finlandés o el polaco, como uno de los más activos de la industrializada periferia occidental del antiguo Imperio ruso. Ya se ha comentado más arriba que para los rusos perder Ucrania era una tragedia, ya que era la zona que abastecía de grano a las importantes ciudades de Petrogrado y Moscú, además de ser una importante región productora de hierro y carbón. A partir de 1915, los nacionalistas ucranianos habían comenzado una larga serie de negociaciones con las autoridades alemanas, para quienes una Ucrania independiente era igual a una Rusia aún más débil, lo que facilitaría el desplome definitivo del frente oriental y otorgaría a Alemania y Austria-Hungría un necesario respiro para concentrarse en el occidental. Tras el golpe bolchevique, la Rada (parlamento) declaró a Ucrania como una república soberana asociada a Rusia, lo que equivalía a una declaración de independencia efectiva. También en Ucrania estalló una terrible guerra civil en la que la Rada tiró de los alemanes para hacer frente a un fuerte avance rojo que desde su base original en la ciudad sudoriental de Jarkov engulló a la capital ucraniana, Kiev, proclamando la república soviética. Alemania reconoció inmediatamente la independencia ucraniana para poder así entrar en su territorio como potencia aliada de la Rada. Tras varias batallas desiguales, las tropas rojas fueron barridas de Ucrania, instalándose un gobierno teóricamente independiente pero efectivamente supeditado a Alemania.

Los alemanes reciben a la delegación soviética en la ciudad de Brest-Litovsk. Las negociaciones terminarían con un acuerdo de paz que dentro de Rusia fue considerado humillante incluso por grandes sectores del gobierno.

En Polonia, la independencia también tuvo que resolverse en el campo de batalla. El Tratado de Versalles (1919), que ajustó las cuentas a las potencias perdedoras, redefinió el mapa de Europa, ratificando la desaparición del Imperio austro-húngaro y en consecuencia el nacimiento de un puñado de nuevos estados en Europa centro-oriental entre los que se hallaba una Polonia reunificada y renacida[49]. En el Cáucaso surgió una Federación Trascaucásica formada por Georgia, Armenia y Azerbaiyán de muy corto recorrido a causa de las antipatías mutuas entre las naciones federadas. Los bolchevi-

---

[49] Desde 1772 hasta 1919, Polonia había dejado de existir como estado. El viejo reino medieval polaco fue devorado y sus territorios repartidos entre Austria, Prusia y Rusia en el siglo XVIII, desapareciendo literalmente del mapa. Rusia fue el Imperio que más suelo polaco obtuvo, siendo la actual capital, Varsovia, una ciudad rusa hasta 1919. Cracovia cayó del lado austriaco de la frontera, y ciudades como Poznan o Wroklaw formaban parte del Imperio alemán. Tan solo un nacionalismo secular, transgeneracional y fortísimamente enraizado en el sentimiento de sus habitantes pudo conseguir que a principios del siglo XX resurgiera el estado polaco.

ques aprovecharon la debilidad intrínseca de aquellas naciones para, usando como excusa la guerra armenio-georgiana, hacerse con la región, reintegrando «*volunta-riamente*» a Azerbaiyán y Armenia en 1920 y a Georgia en 1921. La posterior política soviética de absorción se encaminó hacia la formación de relaciones económicas de fuerte dependencia con Rusia, a fin de mantener a las conflictivas repúblicas del Cáucaso dentro de una unión que mostró su faceta más descarnada en Asia central: en el actual territorio de Tayikistán el levantamiento nacionalista fue sofocado a sangre y fuego por unos bolcheviques que retomaban así los más duros métodos zaristas contra pueblos que tradicionalmente habían sido considerados inferiores y por tanto, merecedores de un peor trato. El posterior sometimiento tayiko conllevó la imposición desde Moscú[50] de una república de Turkestán de nuevo cuño, soviética y por supuesto «voluntariamente» asociada. Como representante legítimo de la voluntad popular, el soviet había decidido que tayikos y turcomanos deseaban la unión con la Rusia soviética; el levantamiento nacionalista no había sido más que un engaño contrarrevolucionario que atrofió momentáneamente la claridad de visión del pueblo. Se iniciaba así una peligrosa costumbre que amenazaba con llevar al Sovnarkom a justificar cualquier decisión, por descabellada que fuera, escudándose en que lo que el soviet decidía era la verdadera voz del pueblo. Y el soviet decía que las independencias nacionales ni eran convenientes ni deseadas por un pueblo que prefería seguir caminando por la vía del socialismo. Las independencias que se dieron en la parte europea de Rusia pudieron hacerse efectivas gracias a la presión militar alemana; muy al contrario que en zonas donde esa presión no existió, manteniéndose bajo el férreo manto de la dictadura soviética. Y es que los

---

[50] Como se explicará en páginas posteriores, en febrero de 1918 la capitalidad rusa fue trasladada a Moscú.

alemanes avanzaban como rayos, amenazando con tragar todo a su paso. La propia Rusia estaba cerca de ser engullida por el gigante militar alemán, lo que avivaba aún más la exigencia popular de llegar a un acuerdo que sacara a Rusia de la guerra. La paz era un argumento que los bolcheviques habían utilizado demasiado como para que una vez llegados al gobierno, se echaran atrás. Así que poco después de publicado el decreto sobre la paz, el Sovnarkom inició las gestiones oportunas de cara a la consecución de un armisticio por separado con las potencias centrales[51]. Los bolcheviques esperaban en breve una revolución en la Europa desarrollada, especialmente en la muy industrial Alemania, y prefirieron ganar tiempo para reorganizar sus tropas, hacerse con el control de la administración y asentar el poder del Sovnarkom. El ejército ruso estaba totalmente desmotivado para luchar, algo en su momento grandemente fomentado por los propios bolcheviques, mostrándose abúlico en sus responsabilidades militares. Además, muchos soldados habían sido desmovilizados a fin de que acudieran a sus localidades de origen para participar en la colectivización de tierras y colaborar con el régimen de terror.

Los alemanes eran muy conscientes de que partían desde una situación de franca ventaja. Podían imponer las condiciones que les vinieran en gana bajo la amenaza de reiniciar las hostilidades. Por eso, cuando el comisario de asuntos exteriores, León Trotski, puso encima de la mesa sus ilusorias pretensiones de una paz que devolviera a Rusia las fronteras anteriores a la guerra, los alemanes no se molestaron ni siquiera en valorarla. Alemania había ocupado Letonia, parte de Ucrania y amenazaba a Petrogrado desde sus

---

[51] Potencias o Imperios centrales era la denominación por la que era conocida la coalición germano-austriaca durante la Primera Guerra Mundial. A veces se incluye a Turquía, también aliada de Alemania y Austria-Hungría, bajo dicha etiqueta.

nuevas bases del mar Báltico. Exigía el reconocimiento de la independencia de Finlandia —logrado el 31 de diciembre de 1917— y los países bálticos, que quedarían bajo su protección, así como la de Ucrania. No iban a renunciar a su botín de guerra. Trotski retornó a Rusia indignado por las exigencias alemanas, dispuesto a seguir ganando tiempo hasta que una milagrosa revolución alemana cambiara las tornas de repente. Los territorios occidentales eran irrenunciables para Trotski, porque la situación de hambre que aún sufría Rusia no haría sino empeorar si se le amputaban sus regiones económicamente más desarrolladas.

La falta de acuerdo provocó que, con fecha 18 de febrero de 1918, los alemanes reanudaran la ofensiva. Las desmotivadas tropas rusas rehuían el combate, arrojando sus fusiles en una loca carrera hacia la retaguardia. De esta forma, en tan solo cinco días, los alemanes avanzaron 240 km, lo mismo que en los tres años anteriores de combate. Nunca un avance había sido tan fácil. La maquinaria militar germana amenazaba con engullir toda Rusia, y el gobierno se reunió de urgencia, horrorizado ante el panorama que se dibujaba en el horizonte. Sin defensa militar, sin oposición alguna a su avance, los alemanes parecían capaces de tomar Petrogrado y mandar a hacer gárgaras al gobierno bolchevique. Tras muchas discusiones en el seno del Sovnarkom, las tesis de Lenin lograron imponerse desde una posición inicialmente minoritaria: en las circunstancias en la que se hallaban, presentar batalla a los alemanes era una utopía. La solución pasaba por ceder a todas las exigencias alemanas. «Si no firman ustedes las condiciones impuestas por los alemanes, firmarán la muerte del poder soviético antes de tres semanas», afirmó Lenin disgustado. Y es que la conquista alemana del núcleo Petrogrado-Moscú supondría el fin de los bolcheviques y de todo el experimento soviético, la muerte de una revolución efímera que sería barrida por el terror blanco que ya estaban experimentando países como Finlandia y Ucrania. Sus tesis fueron aprobadas. Inmediatamente, el Sovnarkom envió un cable a Berlín aceptando las condiciones alemanas en toda su extensión, pero no recibieron contestación y el avance siguió adelante. Histéricos, los miembros del Sovnarkom decidieron el traslado urgente del gabinete a la fortaleza del Kremlin, en Moscú. Esta era la segunda ciudad de Rusia en importancia, y estaba aún protegida de los alemanes por hallarse más al interior y a cierta distancia de un frente militar que se acercaba velozmente. De entonces data la capitalidad de Moscú[52]. Por suerte para los bolcheviques, el 23 de febrero Alemania cursó acuse de recibo frenando sus tropas y solicitando nuevas condiciones, avisando de que si no eran aceptadas darían la orden de seguir avanzando. Las nuevas reclamaciones eran más abusivas aún que las anteriores, exigiendo la renuncia rusa a todos los territorios perdidos, incluidos los 240 km de los últimos cinco días. El Sovnarkom aceptó inmediatamente las condiciones; una rendición en toda regla, más que un acuerdo de paz. El 3 de marzo de 1918 los representantes soviéticos[53] firmaron el acuerdo en la pequeña ciudad de Brest-

---

[52] No era la primera vez que Moscú ostentaba la capitalidad. De hecho, Petrogrado o San Petersburgo solamente fue capital de Rusia desde 1712 hasta 1918. De esta forma, Moscú recuperaba un estatus que había conservado desde la primera medievalidad rusa. El 12 de marzo de 1918 se proclamó oficialmente el traslado de la capitalidad.

[53] Aunque, como comisario de asuntos exteriores, Trotski había llevado la dirección de las negociaciones de paz con los Imperios centrales, el 3 de marzo no acudió a la cita. Ningún alto cargo soviético del ramo quiso soportar la humillación de verse fotografiado estampando su firma en un tratado semejante, y finalmente un reducido séquito de desconocidos apoderados tuvo que viajar hasta allí para hacer efectiva la paz. Trotski evitó su presencia con su dimisión del comisariado de Asuntos Exteriores. El Sovnarkom, sin embargo, le obsequió con el cargo de comisario de guerra, un detalle que daba claras muestras de la confianza que sentía por él.

Litovsk. La revolución se había salvado. A un alto precio, pero se había salvado.

La paz de Brest-Litosvk cayó como un jarro de agua fría en las cancillerías occidentales. La desaparición del frente oriental ya se había consumado, pudiendo ahora los alemanes concentrarse exclusivamente en el occidental, lo que incrementó el ánimo franco-británico para entrar en mayores acuerdos con los ejércitos blancos del general Kaledin. Dentro del propio Sovnarkom el acuerdo de paz generó graves disputas incluso después de firmado y provocó el abandono del gobierno por parte de los eseristas de izquierda. Sin embargo, de cara a las aspiraciones del pueblo, que no deseaba más que el retorno de sus hijos, la paz de Brest-Litovsk fortaleció al gobierno bolchevique como cumplidor de sus promesas y liquidador efectivo de la maldita guerra que tantos males había llevado al medio rural ruso. A cambio, Rusia perdía las zonas económicamente más desarrolladas de su territorio, teniendo que enfrentar la crisis de subsistencias sin su vital aportación. El desastre económico de Brest-Litovsk era mucho mayor de lo que el aliviado pueblo pudiera llegar a imaginarse: Rusia renunciaba de esta manera a nada menos que tres cuartos de su producción de carbón y acero, al 75% de la producción minera y al 100% de la azucarera. Al ser aquella la zona más desarrollada, también perdió el 75% de su red ferroviaria. En cuanto a la demografía, Brest-Litovsk arrancó a Rusia el 44% de su población, que era además la más preparada intelectual y técnicamente; un total de sesenta y dos millones de personas. La renuncia a Ucrania, Polonia, repúblicas bálticas y Finlandia supuso la perdida del 25% de su territorio, dos millones y medio de kilómetros cuadrados. Pero eso no era todo, ya que las consecuencias de Brest-Litovsk se alargaban en el tiempo, en virtud de un acuerdo adicional en el que Rusia se comprometía a pagar un total de seis mil millones de marcos a Alemania como indemnización de guerra. Brest-Litovsk incluía también un acuerdo secreto por el que el gobierno soviético se obligaba a no hacer ningún tipo de propaganda revolucionaria en Alemania ni en Austria, comprometiéndose también a que los ciudadanos alemanes radicados o con posesiones en Rusia quedaran exentos de los decretos de nacionalización, manteniendo sus tierras y propiedades. Por suerte para los rusos, la derrota de las potencias centrales a manos de los aliados occidentales en noviembre de 1918 transformó a Brest-Litovsk en papel mojado, y sus cláusulas no fueron respetadas por el Sovnarkom.

Desde octubre de 1917 hasta marzo de 1918, los soviéticos habían sorteado un buen montón de obstáculos que amenazaban a la revolución, y aquel gobierno por el que nadie apostaba una duración superior a tres semanas cumplía ya los cinco meses. Los alemanes habían sido los últimos que habían estado a punto de echar por tierra al gobierno y las reformas de Lenin, pero el mal había sido exorcizado en los últimos momentos. Sin embargo, nuevos peligros podían otearse en el horizonte. Los bolcheviques habían tomado el poder para quedarse, para transformar la sociedad de arriba a abajo. Vislumbrando, pues, una conflagración civil que desde enero había comenzado a dar sus primeros coletazos, el gabinete bolchevique se ocupó de urgencia, ya desde febrero de 1918 pero tras la firma de Brest-Litiosvk con más decisión, de encarar el peligro blanco que amenazaba de nuevo con hacer fracasar la revolución y todos sus logros. El 23 de febrero se publicó el decreto que creaba el *Ejército Rojo Obrero y Campesino*, conocido mundialmente como Ejército Rojo. Trotski fue el encargado de darle contenido y desarrollarlo, hasta transformarlo en una auténtica fuerza de combate. El nuevo jefe militar de Rusia acertó cuando decidió que, para conseguir un ejército profesionalizado y eficaz en el tiempo más corto posible, era necesario reclutar en él a antiguos oficiales zaristas, hombres experimentados que realizaron un trabajo extraordinario a cambio de un puesto en la estructura militar de la nueva Rusia. A principios de 1919 ya había treinta mil oficiales zaristas insertos dentro de las filas del Ejército Rojo, todos ellos realizando labores de adiestramiento y organización militar. El Ejército Rojo heredó de ellos una rígida disciplina militar, algo de lo que Lenin era muy partidario. Sin pérdida de tiempo, el núcleo de ejército en formación fue enviado al Don para plantar cara a los blancos de Kaledin. No iban solos. Estaban auxiliados por la flota del mar Negro, que fue enviada al mar de Azov para desembarcar tropas y apoyar a los obreros de la región contra los generales blancos. La guerra civil ya estaba en marcha. Una nueva reválida que el régimen de los soviets debía de aprobar para asegurar su supervivencia.

5

La hora del fusil

Era la revolución. No la revolución idealizada,
sino la revolución presente, sangrienta,
la revolución militar.
Boris Pasternak, *Doctor Zhivago.*

ROJOS Y BLANCOS

El establecimiento de ejércitos blancos en derredor de la Rusia dominada por los bolcheviques suponía una grave amenaza contra la estabilidad del nuevo estado, la más peligrosa de todas las que había tenido que superar el joven gobierno obrero. Lenin supo valorar los acontecimientos en su justa medida y respondió con decisión. El Sovnarkom tenía bien presente que su primer objetivo era la pervivencia. Lenin le había dotado de un instinto de conservación extraordinariamente desarrollado sin cuya presencia no podría comprenderse cómo pudo seguir en pie ante tantas y tan angustiosas pruebas. Sobrevivir durante los complicados primeros años largos del nuevo régimen fue una tarea de titanes que se consiguió con grandes dosis de decisión, pero sobre todo de realismo y de tener bien claras las preferencias, los objetivos y los métodos.

El territorio controlado por el Sovnarkom estaba situado en la zona centro-norte de lo que es hoy la Rusia europea, con dos extensas ramificaciones que desembocaban en el Cáucaso y la parte norte de los Urales. Era el motor económico, político y social de aquella Rusia y aún de la actual, ya que incluía el eje Moscú-Petrogrado y otras ciudades importantes, como Saratov, Kazán o Novgorod. Los bolcheviques contaban pues con la zona más próspera del territorio que Brest-Litovsk no les había arrebatado, además de ser un núcleo territorialmente unido, muy compacto y relativamente fácil de defender. A pesar de la pérdida efectiva de zonas tan vitales como Ucrania, los bolcheviques contaban con la ventaja de controlar un territorio políticamente unido y fácil de controlar merced a la existencia de un entramado de carreteras y vías férreas que los blancos no poseían[54], además de ser la franja más densamente poblada de lo que quedaba de la Rusia zarista después de Brest-Litovsk, estimándose unos setenta millones de personas útiles para ser alistadas en el Ejército Rojo y en las fábricas, contra unos ocho o nueve en las zonas menos desarrolladas dominadas por los generales blancos. La fuerza bolchevique residía en que podía imponer su poder efectivo sobre todos aquellos millones de personas porque el territorio y las instituciones estaban concentrados y perfectamente intercomunicados entre ellos y con el Kremlin. Además, muchos de los opositores al régimen bolchevique luchaban por objetivos radicalmente diferentes, siendo los más comunes la restitución de la monarquía bajo formas autoritarias o parlamentarias —caso de la práctica totalidad de los generales blancos— o la instauración de una democracia liberal de corte europeo —caso de los exiliados eseristas

---

[54] A pesar de que Ucrania fue uno de los refugios blancos más destacados de la guerra civil rusa, estos nunca gozaron del control de la economía del país, ni tampoco de sus líneas de tren. El gobierno liberal de Petliura, que había declarado la independencia, y las fuerzas anarquistas denominadas «Ejercito Negro» se lo impidieron.

y algunos kadetes. Esto provocó que entre los propios blancos se diera una sorda batalla que benefició a Moscú, algo que nunca ocurrió dentro de las tropas rojas. Así como, en su momento, pretender frenar el avance alemán iba contra todas las normas de la lógica, en el caso de la amenaza blanca se podía y se debía de encarar la prueba. Contra ellos no habría ningún Brest-Litovsk, ya que se habían levantado en armas con la intención expresa de barrer al gobierno revolucionario. Además, los miembros del Sovnarkom observaban con cierto alivio que sus enemigos eran en realidad bastante pocos y además se encontraban muy dispersos. La guerra civil se iba a caracterizar, de hecho, por la multi-plicidad de escenarios totalmente inconexos unos de otros, lo que favoreció la victoria roja al oponer un ejér-cito mucho más numeroso contra tropas que actuaban sin ningún tipo de coordinación con las blancas de otros frentes. Así pues, el Sovnarkom no eludió la lucha y lanzó a un Ejército Rojo en constante crecimiento contra las huestes de los generales blancos. La revolución se jugaba una vez más su supervivencia. Una apuesta demasiado alta como para permitirse el lujo de perderla.

Como responsable del área de Guerra, León Trotski fue el impulsor de una política de lucha sin cuartel que se dejó sentir también en el interior del país, ahogado por las insaciables necesidades alimenti-cias y materiales del ejército. Para el gobierno sovié-tico ganar la guerra era la prioridad por excelencia. En consecuencia, aceleró la formación, entrenamiento y puesta en marcha de un Ejército Rojo que, mediante reclutamientos voluntarios al principio y forzosos a medida que avanzaba la guerra[55], llegó a contar con casi cinco millones de efectivos al final del conflicto. El ejército de nuevo cuño que estaba creando Trotski se construía con los mismos esquemas disciplinarios

---

[55] La orden de leva obligatoria data de abril de 1919.

del antiguo, algunos de ellos tan persuasivos como las medidas reservadas a los traidores, desertores o cobardes. Consistían estas en la imposición de un severo castigo a los familiares, que podía llegar a suponer desde multas pecuniarias hasta la muerte de padres o hermanos del infractor[56]. Unas medidas que no se quedaron en mera teoría. Fueron aplicadas sin miramientos, tal y como había acostumbrado el rígido ejército zarista durante siglos, sirviendo como un eficaz disuasorio para quienes estuvieran pensando en abandonar las armas. Por si fuera poco, cada regimiento disponía de un destacamento de Guardias Rojos dispuesto en retaguardia para disparar contra todo el que pretendiera desertar. Los años de gobierno habían descubierto a Trotski las virtudes de la rigidez castrense, transformándolo en un auténtico adalid de la disciplina a la vieja usanza, castigos corporales y pena de muerte incluidos. Su política de acoger a militares zaristas fue todo un éxito, aunque supo guardarse las espaldas mediante la creación de una figura de nuevo cuño: el comisario político, una especie de cordón umbilical entre el ejército y el partido, encargado de adoctrinar y velar por la ortodoxia comunista, elevar informes al gobierno y controlar a aquella oficialidad de extracción no humilde de la que se alimentaba el Ejército Rojo. La vigilancia del comisario político y el retorno a la disciplina castrense en la que tan cómodos se sentían lograron que los oficiales se acomodaran con bastante rapidez al ejército de nuevo cuño que estaba creando Trotski. Pronto comenzarían a ver al rojo como a un ejército nacional en lucha frente a unos

---

[56] Lo habitual era que por cada desertor los militares reclutasen a un pariente suyo para sustituirle. Por supuesto, esta medida nunca iba sola, habiéndonos llegado numerosos testimonios de familias enteras que fueron masacradas por esta razón, incluidos niños y ancianos.

León Trotski pasa revista al Ejército Rojo, una fuerza de combate aún bisoña que el animoso revolucionario construyó desde los cimientos.

blancos descoordinados, dispersos y apoyados por potencias extranjeras. Fuertemente expuestos a la propaganda comunista, y azuzados repetidamente en lo más profundo de sus sentimientos al deber y al honor, los oficiales fueron limpiamente absorbidos por el engranaje institucional soviético. Al margen del color político que tuviera el gobierno, eran profesionales y como tales plenamente conscientes de que debían lealtad al estado.

Por el contrario, los blancos fueron perdiendo credibilidad a medida que se iba desarrollando la guerra civil. Si bien es cierto que los resultados no acompañaron, los crueles métodos que utilizaron tampoco favorecieron su causa. Su pasmosa falta de inteligencia no les permitía darse cuenta de que, como principal fuerza militar opositora al régimen, su única posibilidad real de derrocar al gobierno era favorecer el aglutinamiento de toda la oposición en un cuerpo compacto, acaudillándolo merced a su poderío bélico. En vez de eso, los reaccionarios generales blancos tomaron a todos los grupos políticos contrarios a la restauración de la monarquía como a enemigos, y como a tales los trataron. Cuando las huestes de Kolchak ocuparon la ciudad de Omsk, dirigida por una administración eserista, parlamentaria y antibolchevique, no dudaron en ejecutar de inmediato a todos los miembros de aquel gobierno. Las feroces andanzas de los generales blancos recorrieron los medios impresos de todo el mundo, dando testimonio de numerosas matanzas gratuitas de judíos, además de los empalamientos, torturas y decapitaciones sufridas por los lugareños, lo que ha llevado a hablar de un «terror blanco» paralelo al «terror rojo» de los bolcheviques. En vez de aprovechar la popularidad que les podría haber dado la política de requisas comunista, presentándose como liberadores, los generales blancos prefirieron imponer el modelo prerrevolucionario a sangre y fuego. Tres eran las acciones acostumbradas por los blancos cuando ocupaban una aldea: restablecimiento de los terratenientes en las tierras y estatus que les había arrebatado la revolución, disolución inmediata de cualquier tipo de sindicato u organismo creado para defender los intereses de los trabajadores y ejecución de los lugareños considerados responsables del nuevo sistema o simplemente peligrosos. Para los generales blancos, todo campesino era considerado un revolucionario potencial, lo que provocó que miles de ellos fueran pasados por las armas sin mediar juicio alguno y, en muchos casos, tampoco acusación previa[57]. Nada más grafico que las palabras del general Wrangel cuando afirmó que «No hemos traído el perdón y la paz con nosotros, sino solo la cruel espada de la venganza».

---

[57] La ocupación blanca de una aldea solía estar acompañada de violencias indiscriminadas que en la mayoría de los casos se saldaban con cientos de campesinos muertos y sus casas devastadas por las llamas. Muchos de ellos eran torturados y asesinados al azar, por el mero hecho de ser *pobres*, lo que ha llevado a algunos autores a hablar de una lucha de clases a la inversa.

Las sanguinarias andanzas de los ejércitos blancos hicieron mella en la opinión pública europea, y sectores de tanto peso socio-político como el de los obreros organizados y los intelectuales apostaron en su mayoría por que se diera una oportunidad a aquel gobierno bolchevique, que ya empezaba a ser idealizado. En consecuencia, las potencias occidentales se inhibieron a la hora de prestar un apoyo militar que se redujo a pequeñas divisiones que apenas tomaron parte en el conflicto, contentándose con aprovisionar al ejército contrarrevolucionario. Con sus tropas combatiendo o recién salidas del conflicto mundial, el pueblo no habría entendido una nueva guerra en la lejana Rusia[58].

El núcleo duro de los ejércitos blancos se situaba en la región del Don. Allí se había reunido el grueso de los oficiales contrarrevolucionarios más prestigiosos, el más famoso de los cuales era el aclamado general Kornilov, erigido en indiscutible caudillo militar del ejército blanco. Tras varios meses de negociaciones, los generales blancos habían logrado que en abril de 1918 los cosacos se levantaran en armas contra los bolcheviques, uniéndose a las filas del Ejército Voluntario. Por primera vez los blancos habían sido capaces de erigir una fuerza numerosa y militarmente temible que fue inmediatamente enviada por Kornilov contra el compacto estado soviético. El inefable general no disfrutaría durante mucho tiempo del placer de dirigir tan espléndida hueste, ya que aquel mismo mes fue alcanzado por una granada perdida mientras se encontraba en su cuartel general de campaña examinando un plan de ataque. Falleció en el acto. Desapareció así la gran esperanza militar de las fuerzas conservadoras,

---

[58] La Primera Guerra Mundial finalizó en noviembre de 1918. Durante varios meses, la guerra civil rusa fue coetánea de la anterior, aunque el grueso de la conflagración se alargó durante los años posteriores.

siendo sustituido por el general Denikin, uno de los oficiales que compartió prisión y huida con Kornilov. Sobre sus espaldas recayó, pues, la tarea de dirigir el ejército más poderoso con el que nunca habían contado los blancos desde que se iniciara la guerra civil. Denikin no solo heredaba de Kornilov sus mesnadas, violentamente arrojadas en dirección a Moscú; también debía de satisfacer las esperanzas que las fuerzas conservadoras habían depositado en él como sustituto del viejo héroe.

A pesar de contar con una probada experiencia militar y un ejército poderoso, Denikin no lo tuvo fácil para avanzar hacia Moscú. El nuevo gobierno ucraniano de Simón Petliura, autoproclamado independiente de Rusia aprovechando los tumultos de la revolución, no aprobaba las andanzas de los blancos en su territorito. Al haberse proclamado resueltamente antibolchevique, la nueva república de Ucrania atrajo como un imán a una innumerable masa de militares y terratenientes que escapaban del Terror Rojo para terminar formando allí un fuerte núcleo conservador que incomodaba a la mayoría de los ucranianos, de arraigados sentimientos nacionalistas. Petliura enfrentó inútilmente sus fuerzas contra las del potente ejército de Denikin, forzando así una guerra ucraniana dentro de la guerra civil rusa y el repliegue de las armas de la república de Ucrania hacia el oeste. Paradójicamente, la Ucrania independiente se había convertido en uno de los núcleos más importantes de un sector directamente implicado en la guerra civil rusa, que además no estaba interesado en respetar ningún tipo de planteamiento político para Ucrania más que la integración pura y simple a Rusia. A partir, pues, de abril de 1918, se puede hablar de una auténtica amenaza militar para el Sovnarkom, de un ejército más serio que los pequeños elementos militares que hasta entonces habían lanzado *razzias* sobre los márgenes del territorio controlado por los soviets. Abril de 1918 significó el principio de la guerra de verdad.

En mayo la Legión Checa[59] ocupó Samara. En agosto ya había alcanzado Kazán y declarado abiertamente la guerra al Sovnarkom en reclamación de la instauración en Rusia de una república democrática y parlamentaria, una aspiración que le iba a enfrentar a los generales blancos. Finalmente, proclamó efímeros gobiernos parlamentarios en Samara y en Omsk que, como ya se ha resaltado anteriormente, fueron brutalmente liquidados por las fuerzas del general Kolchak. El levantamiento de la Legión Checa supuso un problema añadido y muy serio para Lenin y los suyos. Los insignificantes rasguños que hasta entonces los blancos habían provocado en la masa rocosa del estado soviético comenzaban a supurar, amenazando esta vez de verdad al cuerpo de la Rusia soviética.

Sin haberlo previsto, los generales blancos habían iniciado una triple ofensiva: El general Iudenich, desde sus bases en el Báltico, había puesto sus tropas en dirección a Petrogrado, Denikin prometía alcanzar Moscú desde el sur y Kolchak atacaba desde Siberia, avanzando a buen ritmo sobre los márgenes orientales de la Rusia soviética. La proximidad del ejército de Kolchak al lugar donde estaba retenida la familia imperial provocó un nuevo traslado, esta vez a la ciudad de Ekaterimburgo, también en los Urales pero mucho más protegida del avance blanco. El viaje se preparó a toda prisa, esta vez con la sola compañía de tres personas de servicio y sufriendo todas las incomodidades de un viejo ferrocarril siberiano. Los Romanov

---

[59] La Legión Checa era una fuerza armada integrada dentro del ejército ruso, formada principalmente por prisioneros checos y eslovacos que sortearon la mazmorra integrándose en las fuerzas rusas. En seguida se unieron a ella voluntarios que habían decidido luchar contra el Imperio austro-húngaro para favorecer la independencia de Checoslovaquia. En 1918 contaba con aproximadamente unos treinta y cinco efectivos, siendo una fuerza militar a tener muy en cuenta.

fueron alojados en una casa particular a la que se habían quitado todas las puertas interiores, incluidas las de los retretes, a fin de tener permanentemente vigilados a los prisioneros. Sin embargo, Ekaterimburgo pronto se convirtió en una localidad insegura. Los avances de Kolchak y de la Legión Checa habían sido más veloces de lo esperado, y la región se hallaba ahora expuesta a una próxima captura. El soviet de los Urales era perfectamente consciente de que había que tomar una decisión rápida, y solamente había dos opciones: la de realizar un nuevo traslado o la drástica. Informó de la situación a Moscú, que respondió mediante un telegrama urgente.

La noche del 16 al 17 de julio de 1918 la familia imperial fue trasladada a los sótanos del edificio con la excusa de protegerse de una ofensiva enemiga. Nicolás II estaba tranquilo, nunca creyó en la posibilidad de que pudieran ser ejecutados. Los Romanov eran unos prisioneros demasiado valiosos. De hecho, el depuesto zar estaba convencido de que, tarde o temprano, Lenin acudiría a su encuentro para obligarle a ratificar las reformas del gobierno bolchevique con la rúbrica real. Como siempre, Nicolás II vivía muy lejos de la realidad. Ahora era el ciudadano Romanov, acusado de crímenes contra el pueblo, y su firma no valía nada.

Una vez dentro del sótano, los Romanov ya no tenían modo alguno de escapar. Lívido y con los ojos desencajados, el último zar no pudo más que emitir un leve gemido al oír que un oficial le anunciaba: «Nicolás Romanov, tu vida ha terminado». Los soldados hicieron fuego inmediatamente sobre todos los miembros de la familia imperial, incluidos los tres sirvientes que los acompañaban, siendo posteriormente rociados con ácido sulfúrico para dificultar su identificación. Luego fueron enterrados. Tres días después hacía su entrada en Ekaterimburgo el ejército de Kolchak[60].

La familia Romanov fue ejecutada ante el rápido avance de las tropas blancas en Siberia.

El partido mundial

Julio de 1918 también será recordado por la proclamación de la primera constitución soviética (19 de julio), un texto legal redactado de urgencia más para legitimar la estructura institucional provisional instau-

---

[60] Los restos de los Romanov fueron exhumados en 1991, a partir de una tumba descubierta recientemente por un investigador. Los cuerpos fueron sometidos a las correspondientes pruebas de ADN, que confirmaron su coincidencia genética con la de la familia imperial rusa. Sin embargo, faltaban dos, lo que provocó un reverdecimiento de fantásticas leyendas alimentadas por impostores y aventureros que afirmaban ser miembros de la familia imperial. El caso de Anna Anderson, que murió en 1984 en Estados Unidos afirmando vehementemente que era la gran duquesa Anastasia, hija menor de Nicolás II, es uno de los más conocidos. Según su versión, un soldado la salvó de la muerte, logrando huir a Alemania vía Rumanía, para finalmente asentarse en Estados Unidos. Anna Anderson murió a los 84 años reclamando una identidad que se descubrió falsa cuando la inhumación de un nuevo enterramiento que contenía dos cuerpos pertenecientes a los hijos que faltaban, cerró definitivamente las elucubraciones sobre la supervivencia de los Romanov.

rada por la revolución de octubre, que para asentar una nueva forma de estado. Como marxistas que eran, los bolcheviques entendían al estado como un mal necesario, imprescindible para la construcción del socialismo pero prescindible una vez que se hubiera instalado el ideal utópico comunista. El tránsito al comunismo podía llegar a ser muy largo y costoso, tanto como varios años de sacrificio de millones de vidas, y mientras se estuviera en el proceso, la fortaleza del estado se tornaba para los leninistas como un elemento insustituible. En suma, la naturaleza del estado socialista debía de estar en constante cambio, porque así lo habría de demandar una sociedad cuya absorción de los ideales comunistas lo empujarían a estar en permanente evolución. La estructura institucional y organizativa del estado soviético no era más que una primera etapa de un largo proceso que aún se encontraba en sus preliminares. Una vez asentado un sistema, llegaría la hora de establecerlo legalmente como primer peldaño de la evolución al comunismo. Ese día no había llegado, pero se hacía necesario dar una mínima base legal a lo que ya existía. Por eso nació la constitución de 1918, y por eso muchos estudiosos no la consideran relevante, a pesar del mérito estadístico de haber sido la primera constitución socialista de la Historia. En sus primeros artículos incluía la Declaración de Derechos del Pueblo Trabajador y Explotado, para pasar después a formalizar un estado fuerte, casi omnipotente bajo la máscara de un poder popular canalizado a través de los soviets. En realidad, la constitución de 1918 no hacía más que ratificar la estructura rígidamente jerárquica y piramidal que ya tenía el estado desde los primeros días de octubre. Los soviets locales escogían y elevaban reclamaciones y propuestas a los soviets intermedios, y estos a los inmediatamente superiores, hasta llegar al soviet supremo, un parlamento bicameral que designaba al gobierno en nombre de todos los trabajadores. De esta forma se conformaba la *república de los soviets* bajo la denominación de República Socialista Federativa Soviética Rusa (RSFSR), entendiendo la federación más como un anhelo de descentralización que como un sistema verdaderamente federal. De momento solamente existía una república. Todo estaba dentro de la RSFSR rusa, contradiciendo cualquier pretensión federalista[61].

La constitución de 1918 renegó de una serie de prácticas consideradas dogma por los países de sistema parlamentario, como la separación de poderes o los derechos individuales de la persona. Como estado que ha superado la fase burguesa pero aún no ha llegado al ideal comunista, el soviético no podía reconocer ningún tipo de derecho a la burguesía ni a los terratenientes. De hecho, la constitución negaba específicamente el derecho del voto a los elementos considerados burgueses o filoburgueses, amén de que estaban perseguidos. Tan solo el proletariado, el elemento trabajador, tenía derecho a sufragio, aunque únicamente en cuanto que clase social, no como individuo particular, lo que unido al ya mencionado sufragio indirecto transformaba a la democracia de los soviets en una dictadura a tiempo completo. El lema de «un hombre, un voto» se transformaba, en virtud de los ideólogos de la revolución, en «una factoría, un representante bolchevique». Los mediatizados soviets canalizaban el voto, deformándolo convenientemente en el interior de su selva burocrática, pasando de soviet a soviet hasta que llegaba totalmente edulcorado a manos del Soviet Supremo.

Los redactores de la constitución se preocuparon por incluir artículos que destacaran el progresismo del

---

[61] En seguida se corrigió esta situación, desgajando de Rusia a una serie de territorios para conformarlos como estados asociados a la RSFSR.

nuevo régimen. Así, se sancionó legalmente la no discriminación por raza o sexo, la laicidad del estado y la educación pública e universal. Sorprendentemente, los derechos de libre prensa, opinión o reunión, que como sabemos fueron brutalmente vulnerados desde los inicios del régimen, también quedaban garantizados dentro de la constitución, aunque no como derechos individuales, sino del proletariado en su conjunto, de forma que toda opinión considerada contrarrevolucionaria no tenía derecho a expresarse. Este artículo fue exhibido repetidas veces para amordazar la libre opinión en nombre de la voluntad del pueblo. Periódicos cerrados, partidos perseguidos y ejecuciones sumarias fueron el resultado de la aplicación de tan *democrático* articulado, lo que incrementó la respuesta violenta de determinados grupos que se refugiaron en el terrorismo. Es el caso del asesinato del diplomático alemán, conde Birmach (julio de 1918), realizado por eseristas de izquierdas en desacuerdo con la firma de la paz de Brest-Litovsk, o el atentado contra Lenin (30 de agosto de 1918), perpetrado por la también militante socialrevolucionaria Fanya Kaplan. Lenin sobrevivió, pero las secuelas que le produjeron las balas alojadas en su clavícula y cuello probablemente aceleraron la temprana muerte del líder revolucionario. Kaplan fue ejecutada de un tiro en la nuca. En breve iba a reiniciarse un nuevo periodo de Terror Rojo, que fue justificado con el argumento de que había que mantener unido y libre de intoxicaciones blancas al cuerpo de la nación mientras durase la guerra. El 7 de septiembre de 1918, con el fusilamiento de ochocientos opositores políticos, se abría una difícil etapa de represión interna estoicamente soportada por los rusos hasta el final de la guerra, pero que no iba a ser comprendida una vez terminada la conflagración.

Con la gran ofensiva blanca iniciada y avanzada, los bolcheviques apelaron a la unidad y solidaridad de los trabajadores del mundo, con el objetivo de apoyarse en un aliado de tanto peso como eran los partidos revolucionarios occidentales. La creación de una Tercera Internacional, que será conocida como Internacional Comunista o Komintern, había sido un sueño largamente acariciado por Lenin que estaba a punto de hacer realidad. La situación militar de Rusia había acelerado su puesta en marcha, de modo que la ruptura con los partidos socialistas no se hizo esperar: en marzo de 1919 Petrogrado acogió el I Congreso de la Komintern, una tercera Internacional en la que delegados marxistas-leninistas del mundo entero se reunieron para acordar una estrategia política común. Los bolcheviques seguían viendo a la revolución rusa como el primer paso de una próxima revolución mundial a la que acudían esperanzados cuando las cosas no pintaban bien. Asentaban sus esperanzas principalmente en Alemania, una nación cuyo sector izquierdista más intransigente no tardó en cortar amarras con los social-demócratas, formando el primer partido comunista europeo, el KPD, en el año 1918[62]. Uno tras otro, los partidos socialistas europeos comenzaron a sufrir un proceso de ruptura para con sus facciones más radicales, irrumpiendo así, repentinamente, los partidos comunistas en la Historia. Los comunistas abandonaban las filas de una socialdemocracia que era marxista pero que funcionaba en términos de colaboración de clases y democracia parlamentaria, un sistema que los comunistas repudiaban, ansiando su sustitución por la dictadura del proletariado mediante la violencia revolucionara. Para los comunistas no cabía ningún tipo de

---

[62] Al igual que había ocurrido en el seno del POSDR ruso, el partido Socialdemócrata Alemán (SPD) incluyó durante años una línea dura conocida como Liga Espartaquista que terminó por escindirse para formar el KPD, iniciando en Europa el proceso de ruptura definitivo entre socialistas y comunistas.

Lenin preside
una reunión de la
Tercera Internacional,
también conocida
como Internacional
Comunista o
Komintern.

colaboración con la burguesía. Su estrategia pasaba por
la insurrección armada, la toma del poder siguiendo el
ejemplo ruso, y la instauración de un régimen fuerte
que extirpara definitivamente el viejo sistema liberal.
Al final, entre socialistas y comunistas se estaba dando
el punto crítico de la eterna disputa entre los partidarios de la evolución y los de la revolución. Ruptura
frente a colaboración. Dos visiones muy diferentes a la
hora de interpretar al maestro Marx. Para los que a
partir de ahora serán llamados comunistas, Lenin fue el
actualizador del marxismo, el restaurador de una teoría
de interpretación global de la realidad sobre los puntos
en los que el paso del tiempo la había dejado obsoleta.
A partir de él y siguiendo su ejemplo, el comunismo,
entendido como marxismo-leninismo, se expandirá por
todo el orbe formando partidos rígidos en los que la
lealtad ciega a la ortodoxia del Comité Central se
elevará al estatus de dogma.

El primer congreso de la Komintern reunió a
delegaciones de treinta y siete países que se compro-
metieron a formar secciones nacionales, cada uno en

su país respectivo, del partido comunista mundial que la Komintern pretendía llegar a ser. La idea era formar un partido comunista único de nivel planetario que se regiría por una única ejecutiva con base en Moscú como sede del buró político de la Internacional Comunista y delegaciones nacionales en cada uno de los países del mundo. A partir del II Congreso (1920), todas y cada una de ellas debían de rebautizarse como *Partido Comunista de (escríbase un país) - Sección (escríbase el gentilicio de un país) de la Internacional Comunista*, obligándose a seguir fielmente las directrices emanadas desde la Internacional como ejecutiva directiva del partido mundial. En resumen, la Komintern pretendía ser un único y rígido partido multinacional con delegaciones territoriales en todas las naciones[63]. La Internacional Comunista mimetizó como un camaleón la organización, estructuras y disciplina interna del partido de Lenin, y puso las bases del dominio de los bolcheviques rusos dentro del movimiento revolucionario mundial, mostrando un dinamismo envidiable. A partir de 1919, Europa experimentó un vendaval de revoluciones provocadas o apoyadas por la Komintern que, si bien terminaron por fracasar, durante un tiempo dieron la impresión de que el fantasma del comunismo había tomado cuerpo y estaba a punto de engullir al mundo. En enero de 1919, los espartaquistas tentaron un golpe de estado en Berlín que terminó bañado en sangre; en marzo, una

---

[63] En España, los sectores extremistas del PSOE fueron profundamente influidos por la Komintern, lo que les llevó a romper con los socialistas para formar el Partido Comunista Español y el Partido Comunista Obrero Español, dos agrupaciones políticas adheridas a la Internacional pero de poco recorrido político, siendo incitados por la propia Internacional a unirse, formando en noviembre de 1921, el PCE. Como era de rigor, el nombre completo de la nueva formación política fue *Partido Comunista de España – Sección española de la Internacional Comunista*.

insurrección comunista triunfó en Hungría, imponiendo el efímero *Régimen de los Consejos* liderado por Béla Kun y derrocado militarmente en agosto del mismo año. Igualmente, en Baviera se instituyó en noviembre de 1918 la República Soviética, al frente de un gobierno encarnado por la figura de Kurt Eisner, que fue violentamente derrumbado por las armas.

LA OTRA REVOLUCIÓN

Al mismo tiempo que en Europa los movimientos revolucionarios se muestran en plena ebullición, dentro de Rusia el estado soviético tiene que iniciar un repliegue momentáneo para hacer frente a la triple ofensiva blanca que, descoordinada pero coincidente en el tiempo, ha progresado y comienza a amenazar ciudades tan importantes como Petrogrado, que se ve obligada a revivir angustiosos momentos mientras prepara su defensa ante el inminente ataque blanco del general Iudenich. A pesar de haber perdido su capitalidad, Petrogrado seguía siendo la ciudad más próspera y cosmopolita de Rusia. Perderla habría supuesto una auténtica catástrofe para el régimen soviético. Como correspondía a tamaño desafío, el comisario de guerra Trotski asumió personalmente la defensa de Petrogrado, deteniendo el tren para asentarse temporalmente en la vieja capital[64]. Se levantaron barricadas, alambradas, nidos de ametralladora... y se mentalizó a la población civil de que era una obligación apretar los dientes y resistir a la cercana ofensiva de Iudenich. Mostrar el valor y la capacidad de sacrificio de la gran ciudad de Petrogrado. La situación recordaba mucho a la

---

[64] Trotski se pasó toda la guerra civil viajando en un tren especial que le transportaba a todos los frentes militares, a fin de controlar la situación de cada uno de ellos y dar ánimos personalmente a las tropas por medio de sus encendidas soflamas revolucionarias.

Kornilovschina, y efectivamente, finalizó de una forma muy similar, ya que el general Iudenich no logró pisar suelo urbano. La contención y posterior fracaso de las ofensivas de Kolchak y Denikin liberó a un buen número de soldados del Ejército Rojo, que fueron enviados al norte para repeler la acción de Iudenich, siendo derrotado en los arrabales de la ciudad. La falta de coordinación entre los blancos y el fuerte acoso sufrido por el potente ejército de Denikin a cargo de los nacionalistas ucranianos y los anarquistas de Néstor Makhno fueron definitivos para arruinar la triple ofensiva blanca. Y es que verdaderamente, la aportación del anarquismo en la salvación de aquella joven Rusia soviética no ha sido todavía suficientemente destacada. No es este el lugar para hacer historia-ficción, pero uno no puede evitar preguntarse hasta dónde habrían llegado los ejércitos de Denikin sin la decisiva intervención del Ejército Negro[65] de Makhno; una ayuda que los bolcheviques ni supieron ni quisieron agradecer.

El anarquismo era una fuerza muy a tener en cuenta en el conflictivo sureste de Ucrania, donde por aquellos años se fue configurando un territorio autogestionado con centro en la ciudad de Giulai-Polié, cuna del líder ácrata Néstor Makhno. El movimiento autogestionario había surgido al socaire de la revolución de febrero, que en Ucrania se saldó con la declaración de la República Democrática de Ucrania dentro de la república rusa, bajo el gobierno liberal del ya mencionado Simón Petliura. La accidentada independencia ucraniana y la crisis política rusa dejaron sin control efectivo a aquella región, que comenzó a sufrir una serie de levantamientos campesinos cuyas proclamas entremezclaban vulgar rufianería con un elaborado radicalismo social de corte anarquista. El territorio se convirtió en un impor-

---

[65] Llamados *negros* o *Ejército Negro* por el color de la bandera del anarquismo.

215

Néstor Makhno consiguió englobar las partidas campesinas de Ucrania en una fuerza guerrillera compacta y muy eficaz, el Ejército Negro. El impacto de su acción en el campo aún no ha sido justamente valorado.

tante foco de guerrillas rurales aún sin conexión ni objetivos comunes. En noviembre de 1917, el gobierno ucraniano de Petliura declaró unilateralmente la independencia, lo que supuso un mazazo para el Sovnarkom, que no estaba dispuesto a transigir. La independencia fue celebrada por la mayoría de los sectores populares y aún más por la burguesía local que se aseguraba la existencia al desgajarse de la Rusia soviética. Sin embargo, para las guerrillas revolucionarias de la zona de Giulai-Polié, el gobierno Petliura y su autoproclamada independencia no significaban nada nuevo: la burguesía y los terratenientes seguían ostentando el mismo poder que antaño y los trabajadores estaban tan sometidos como antes. Así pues, animados por el cercano ejemplo ruso, los guerrilleros anarquistas extendieron sus agresiones contra los terratenientes y propietarios rurales, expropiándoles forzosamente y generándose en la zona una extrema conflictividad social. Como resultará fácil de comprender, cuando el Ejército Rojo hizo su aparición en Ucrania para apoyar a los rojos de Ucrania, las guerrillas anarquistas no hicieron nada para evitarlo.

La tromba roja desalojó muy pronto a los de Petliura —Kiev fue ocupado el 25 de enero de 1918—, instaurando una república soviética. En marzo la volvían a perder: por el tratado de Brest-Litovsk, Ucrania quedaba bajo la órbita de alemanes y austriacos, que entraron como conquistadores. El conservador Pavlo Skoropàdsky fue proclamado nuevo jefe del gobierno independiente de Ucrania, en realidad un estado títere de los Imperios centrales que no movió un dedo cuando los germanos iniciaron una auténtica política de terror en el campo, específicamente contra las guerrillas anarquistas del sureste. La amenaza alemana convenció a los guerrilleros que era necesario unirse si querían eliminar de una vez por todas al enemigo común que, disfrazado de alemán, austriaco o nacionalista ucraniano, siempre tenía el mismo rostro: la burguesía, la nobleza, el terrateniente, el explotador; el secular enemigo de clase.

Como teórico, hombre de acción y jefe carismático, Néstor Makhno lideró la obra de unificación de las guerrillas, transformándolas en un eficaz conglomerado militar de extracción campesina de más de cuarenta mil efectivos. Los dos pilares sobre los que se asentaba el edificio teórico del Ejército Negro oscilaban entre el odio mortal a todo representante de cualquier tipo de poder —terratenientes, ricos y representantes de las instituciones del estado, como recaudadores de hacienda o policías— y la creencia casi mística en la posibilidad de crear de la nada una sociedad ideal en la que el igualitarismo, entendido como la supresión de cualquier tipo de jerarquía o dominio del hombre sobre el hombre, sería el camino hacia una felicidad perdurable. Los miembros del Ejército Negro se tomaron su labor como si fueran una suerte de Robin Hoods cuya misión era liberar a los campesinos de todo yugo, darles la tierra y educarles para que la trabajaran de acuerdo a una organización social más justa e igualitaria. Su lucha contra el opresor consistía fundamentalmente en el ataque a poblaciones rurales aún no liberadas, extendiendo así su zona de influencia. Una vez expulsados o eliminados físicamente los terratenientes y sus secuaces, se encargaban de borrar cualquier rastro de autoridad estatal o local, instando a los campesinos a organizarse de forma autónoma siguiendo los postulados de la comuna anarquista. De esta manera llegaron a colectivizarse cientos de aldeas. Los campesinos podían sentirse dueños, en colectividad, de la tierra; la comuna era soberana para hacer lo que considerara oportuno con ella y al ser la producción común, sus beneficios eran repartidos según las necesidades de sus miembros, aunque siempre existió un pequeño margen de tolerancia hacia quienes no deseaban pertenecer a la colectividad. Las comunidades podían decidir libremente sus medios y relaciones de producción y sus intercambios comerciales con otras comunidades, siempre dentro de la idea dominante de igualdad: horizontalidad frente a verticalidad jerárquica. El ejemplo makhnovista fue admirado, estudiado e imitado por el enérgico anarquismo español. Varios de sus representantes más conocidos, como Ángel Pestaña o Eusebio Carbó, mantuvieron con el líder ucraniano relaciones epistolares cuando pasaba sus días de exilio en París. A partir del estallido de la Guerra Civil Española (1936-1939), el anarquismo español vio la oportunidad de aplicar sus principios teóricos, recuperando las vivencias y consejos de Makhno. Lo que se ha dado en llamar la Revolución Española no habría sido igual sin el precedente makhnovista, aunque al igual que en el caso ucraniano, terminó siendo malograda no por los considerados enemigos de clase, sino por los comunistas[66].

[66] El rechazo profundo del anarquismo para con cualquier tipo de autoridad, y específicamente contra todo lo que representara al estado, fue considerado por los comunistas, tanto rusos como españoles, un auténtico peligro para la revolución, que a su juicio precisaba de un estado fuerte para imponer la dictadura de clase a la burguesía. Por esta y por otras razones menos confesables, los comunistas se encargaron, ellos solos durante la revolución rusa y

La Primera Guerra Mundial terminó en noviembre de 1918 con la derrota de las potencias centrales. Esto tuvo consecuencias directas en Ucrania, ya que con la evacuación germano-austriaca también cayó el gobierno títere de Skoropàdsky, dejando un vacío de poder que no iban a tardar en llenar los nacionalistas de Petliura. Poco duró la alegría de los liberales ucranianos: El Ejército Rojo intervino nuevamente en Ucrania, forzando un feroz enfrentamiento verdi-rojo[67] del que los anarquistas de Makhno se inhibieron una vez más. La Primera Conferencia de las Colectividades Anarquistas, que se celebró a principios de 1919, aprobó la decisión del Ejército Negro acordando que los asuntos nacionalistas no les interesaban, pero que si estos salpicaran a la región colectivizada intervendrían en su defensa. Los negros aprobaron una serie de puntos afirmando que no iban a admitir ninguna injerencia externa, ni bolchevique ni de ningún otro tipo, señalando taxativamente las enormes diferencias doctrinales que los separaban de los rojos, entre ellas el rechazo total y completo a la idea de estado o de jerarquía, la autogestión sin depender de ningún plan superior estatal o centralizado y el repudio de la dictadura del proletariado[68].

---

con la complicidad de los partidos republicanos burgueses en el caso de la guerra civil española, de eliminar las potentes experiencias anarquistas que se habían puesto en marcha en el campo.

[67] Las fuerzas militares que apoyaban a la Rada ucraniana fueron conocidas con la denominación de *verdes* o *Ejército Verde*, transformándose la guerra entre blancos y rojos en un embrollado conflicto en el que blancos, rojos, verdes y negros formaban y rompían alianzas según convenía a sus intereses.

[68] Los hombres de Makhno estaban sobre aviso con respecto a la política seguida por Moscú en relación a los anarquistas rusos. Con el arresto en abril de 1918 de cientos de militantes ácratas, se inició en toda Rusia una persecución política que se iría estrechando cada vez más hasta suprimir cualquier vestigio de planteamientos izquierdistas distintos a la ortodoxia marxista-leninista.

El cuarto elemento en discordia tuvo la virtud de lograr que los negros superasen sus reticencias para con los rojos, acordando una alianza puntual. Las fuerzas blancas del general Denikin avanzaban por Ucrania con una fiereza desatada, reinstaurando a los terratenientes en sus tierras y transformando los campos y aldeas en hogueras rodeadas de improvisadas horcas en las que colgaban los cuerpos de campesinos ejecutados. La actitud de los blancos los enfrentó directamente con las fuerzas negras, cuya participación fue decisiva para que, más tarde, cuando las tropas de Denikin se enfrentaron al Ejército Rojo, presentaran una capacidad militar muy mermada. Los rojos y los negros habían pactado una serie de acciones conjuntas y una alianza temporal contra el enemigo común cuya validez finalizó tras la derrota de Denikin.

El descalabro de los ejércitos de Denikin, Iudenich y Kolchak alejó definitivamente la posibilidad de involución en Rusia. A partir de 1920 se considera que, a efectos prácticos, la guerra civil rusa ha terminado, aunque pequeños escarceos blancos continuaron embistiendo a los rojos en los márgenes de las fronteras soviéticas hasta el año 1922, más como un estorbo permanente que como una amenaza real[69]. En 1920 el Ejército Rojo se había convertido en un gigante militar de cinco millones de soldados contra el que ni blancos, ni por supuesto los mucho más limitados verdes o negros, podían pretender dañar. Obviamente, seguía siendo un contingente bisoño al que le costó tres años ocupar y controlar todo el territorio ruso, una ineficacia clamorosa si se le compara con los curtidos ejércitos occidentales, mucho más preparados. No obstante, el Ejército Rojo había nacido ganando. Su primera victoria había sido obtenida en una guerra de

---

[69] Aún falta por llegar la ofensiva que el general Wrangel puso en marcha desde Crimea en noviembre de 1920.

primera magnitud en cuanto que estaba en juego la supervivencia de la revolución, lo que le había obligado a combatir aún inmaduro; no como ejército formado, sino en construcción. Y había ganado. A partir de entonces, el ejército se convirtió en el sostén y el orgullo del régimen, en la vanguardia revolucionaria que implantó el comunismo hasta el último rincón de la antigua Rusia de los zares. De la mano del cañón, los ideales revolucionarios se fueron expandiendo e implantando en zonas que hasta entonces habían quedado al margen del núcleo revolucionario original, asentando definitivamente el poder de los soviets en toda la geografía rusa.

Una vez derrotados los principales regimientos blancos, el Ejército Rojo lanzó una fuerte ofensiva sobre Ucrania, donde los polacos se habían unido a la ensalada de color con intención de ensanchar sus fronteras[70]. Los bolcheviques solicitaron nuevamente el apoyo del Ejército Negro, que habría de ser incluido dentro de las estructuras militares comunistas como cuerpo de ejército, a lo que los de Makhno se opusieron tercamente. Comenzó así una guerra psicológica en la que los anarquistas poco tenían que ganar. Apoyados en su potencia mediática, el Sovnarkom desplegó una amplia campaña de desprestigio contra los makhnovistas, que fueron tratados de bandidos y asesinos. Mientras tanto, comenzaba la guerra polaco-soviética sin participación de los anarquistas ucranianos; un conflicto que comenzó con un poderoso avance polaco

---

[70] Resulta chocante que una nación como Polonia, que acababa de restaurar su independencia después de tres siglos de supeditación a potencias extranjeras, se embarcara tan rápidamente en una aventura expansionista. La causa estriba en que muchos nacionalistas polacos pretendían recuperar el antiguo estado polaco del siglo XVI, que incluía grandes espacios de las actuales repúblicas de Ucrania y Bielorrusia, uniendo territorialmente el mar Báltico con el Negro.

que pronto fue neutralizado por un contraataque soviético que estuvo a punto de tomar Varsovia. La paz se firmó en marzo de 1921, sancionando el reconocimiento mutuo de las fronteras de ambos estados y la absorción de la mayor parte de la Ucrania histórica dentro de la esfera de influencia de la RSFSR.

En octubre de 1920, aprovechando la guerra polaco-soviética, el general Wrangel lanzó desde Crimea la última y desesperada ofensiva blanca a la cabeza de los restos del ejército destrozado de Denikin. El inesperado movimiento blanco obligó a un nuevo acercamiento rojinegro que desembocó, tras muchas controversias y discusiones, en un acuerdo de colaboración militar. La unión entre ambas fuerzas de izquierdas logró derrotar a las fuerzas de Wrangel, liquidando así el último conato reaccionario militarmente organizado. La guerra civil se cerraba definitivamente con un saldo de cinco millones de muertos y pequeñas hemorragias que se mantendrían hasta 1922 y que en Ucrania tuvo uno de sus escenarios más dantescos. Libres de cualquier preocupación por otros frentes ya cerrados, los bolcheviques centraron todas sus fuerzas en la formación de una república soviética en Ucrania, lo que les iba a enfrentar directamente al Ejército Negro. Para prevenirlo, a finales de 1920 los jefes anarquistas, a excepción de Makhno que estaba restableciéndose de sus heridas de guerra, acudieron a una reunión con representantes del Ejército Rojo que les anunciaron la inmediata puesta en vigor de la orden 00149, por la que el Ejército Negro quedaba absorbido por la estructura militar soviética. Los anarquistas rechazaron rotundamente una orden que a efectos prácticos suponía un ultimátum, siendo detenidos por la Cheka y fusilados al momento. Comenzaba la época de la asimilación forzosa a base de destrucción de comunas, arrestos y ejecuciones masivas. Los makhnovistas fueron tratados como bandoleros, siendo difamados por la propaganda soviética como contrarrevoluciona-rios. Nueve meses más tarde, y con miles de crímenes a sus espaldas, los rojos habían impuesto en Ucrania una república soviética, extirpando cualquier recuerdo de aquella aventura colectivista que a día de hoy está considerada como una de las más importantes de la historia.

COMUNISMO DE GUERRA

La Rusia soviética había superado una durísima prueba. Su victoria en el campo militar reafirmaba el hiperdesarrollado sentido de supervivencia del que había hecho gala desde el primer momento, pero con un dramático coste humano, social y económico. Prácticamente toda la producción agrícola e industrial del periodo comprendido entre 1918 y 1920 había estado supeditada a las necesidades militares, provo-cando un enorme descompensación que sumergió en el hambre a millones de personas. Los bolcheviques eran muy conscientes de que, si se perdía la guerra, no iba a haber futuro para ellos. Así pues, los campos y ciuda-des se quedaron huérfanos de sus jóvenes, que fueron masivamente reclutados para el frente a partir de 1919, los productos agrícolas fueron destinados principal-mente a la alimentación de los soldados, y las indus-trias se reciclaron para cubrir las necesidades militares en cuanto a armamento, ropaje y demás accesorios de uso militar. Esto implicó una centralización férrea desde el estado, una auténtica economía dirigida en la que el gobierno era el único organizador competente para proveerlo absolutamente todo, dejando a los obre-ros la única posibilidad de trabajar a destajo por una misérrima ración de pan.

La implantación de una economía dirigida implicó la supresión por la fuerza de aquella primitiva autogestión obrera que había sido fomentada desde el poder en los primeros días de la revolución. Para muchos trabajadores, la nueva actitud del régimen supuso una desagradable sorpresa con la que debían de haber contado, habida cuenta de que el control estatal de la economía, justificado desde el Sovnarkom como un imperativo de la guerra, era algo muy acorde con las tesis de Lenin. Pero es que además, en el poco tiempo que se pudo desarrollar un cierto sistema autogestionario en las factorías rusas, los bolcheviques habían constatado decepcionados que la autogestión estaba haciendo fracasar a pasos agigantados a la economía del país: la implicación de la mayoría de los obreros dentro de la empresa autogestionada terminaba allá donde lo hacían sus intereses particulares, lo que unido al completo desconocimiento técnico o administrativo de los obreros, aconsejó al Sovnarkom la supresión de un sistema que hacía aguas. En consecuencia, los años de guerra fueron testigos de terribles escenas de trabajo hasta la extenuación. Los obreros no reclutados para el frente fueron obligados a producir a horas intempestivas; todo a mayor gloria de la revolución y del triunfo definitivo en los campos de batalla. Se instituyeron los llamados «Sábados Comunistas», en virtud de los cuales los obreros trabajaban completamente gratis una vez a la semana, a fin de acelerar la producción de elementos necesarios para cubrir las enormes necesidades del Ejército Rojo. Sin la implantación de estas medidas, es difícil comprender el crecimiento exponencial y mantenimiento en pie del Ejército rojo, y en consecuencia su victoria.

Las necesidades de la guerra provocaron el desplome de la producción. Las ciudades sufrieron un grave colapso en la distribución alimentaria, una situación que se tradujo en hambre y propagación de enfermedades, algunas de ellas tan secularmente conocidas por los rusos como el tifus o el cólera. Al no ser productores, los centros urbanos se vieron obligados a soportar las más duras condiciones alimenticias, siendo allí donde con más fuerza azotó la hambruna. En las urbes medianas y pequeñas la mortalidad por hambre y enfermedades se duplicó, mientras que en las más populosas, como Petrogrado o Moscú, se cuadriplicó. La consecuencia lógica fue el éxodo urbano en busca de los alimentos que tan solo el campo prometía aportar. Un fenómeno inverso al que vivían los países de la Europa desarrollada y francamente irónico habida cuenta de las tan cacareadas intenciones soviéticas de formar ejércitos de ciudadanos cultos y urbanitas. Muchos ciudadanos de primera generación retornaron a casa de sus familias campesinas en busca de un alimento negado, y junto a ellos, para desgracia de los lugareños, las implacables huestes de la administración soviética para recabar cereal y productos de primera necesidad a fin de abastecer primero al Ejército Rojo y después a las ciudades hambrientas. Por un decreto de junio de 1918 se crearon una especie de juntas campesinas locales pomposamente denominadas «Comités de Pobres del Pueblo» que se encargaban de organizar cuadrillas de delatores gracias a cuya información lograban sacar unas buenas cantidades de grano para las ciudades. Por supuesto, los campesinos que habían sido descubiertos atesorando una cantidad de cereal superior a lo considerado suficiente para su propio mantenimiento y el de su familia eran puestos a disposición de la Cheka.

A principios de 1919 la importancia de los Comités de Pobres del Pueblo fue decayendo hasta desaparecer. El gobierno se había dado cuenta de que el trato recibido por los campesinos había sido demasiado cruel, lo que había provocado un fuerte resurgimiento de las revueltas agrarias al más puro estilo de los malos tiempos del último zar. Lenin aflojó la mano para no provocar alteraciones en el medio rural que no harían sino dificultar la estabilidad interna tan necesaria para ganar la guerra. Se favoreció así el desarrollo de un inconfesable mercado negro que no hacía más que aumentar los niveles de inflación del estado, pero al mismo tiempo se instalaron enormes granjas colectivizadas que iban a ser la punta de lanza de introducción de la economía dirigida en el campo ruso. El campesinado desconfiaba profundamente de aquellas monstruosas explotaciones que representaban la injerencia estatal. Para muchos de ellos, la economía dirigida no era más que un retorno al viejo sistema señorial, pero esta vez el aristócrata explotador tomaba la forma del estado. Los campesinos no estaban dispuestos a cederle las pequeñas parcelas de tierra que la revolución misma les había entregado. Comenzaron a trabajar solamente de acuerdo a sus necesidades de subsistencia, para no tener que entregar los excedentes, lo que supuso un bajón terrible en la producción. Lenin había advertido muchos años antes que el campesinado era un elemento potencialmente contrarrevolucionario, porque una vez logradas sus aspiraciones capitalistas —tener tierras en propiedad—, no se avendrían a dar un paso más y aceptar el fin de la propiedad privada y la colectivización total. Así fue. Las acertadas reflexiones de Lenin tomaron cuerpo en una frase cargada de ironía, innumerablemente repetida en el campo ruso, que más o menos venía a decir que apoyaban a los bolcheviques porque les habían repartido las tierras de los terratenientes, pero aborrecían a los comunistas porque les querían quitar esas mismas tierras. La mayoría de los agricultores entendieron el espíritu del comunismo solamente hasta donde les interesaba, y los comunistas no se preocuparon demasiado en arreglarlo. Años más tarde, cuando Stalin fue informado de que la gente del campo no comprendía las aspiraciones del comunismo, calló un momento y resumió los planteamientos bolcheviques sobre la cuestión mediante una breve sentencia: «si no entienden, que se les explique; si no saben, que se les enseñe, pero si no quieren, que se les fusile».

La economía dirigida era el resultado lógico de la aplicación de los principios del centralismo democrático y del partido leninista en el ámbito estatal. Una minoría de cuadros dirigentes tendrían que marcar las directrices sobre las que el pueblo debía de desarrollar su labor. El planteamiento es idéntico al implantado en los partidos comunistas con respecto al Comité Central. Por tanto, el estado debía de tener el control total y exclusivo tanto de los medios y formas de producción, como de la propia producción y de su distribución. Toda actividad económica quedaba bajo dominio estatal en todas sus fases. De esta forma el estado, como recolector y distribuidor de la producción, aseguraba un reparto equitativo de la riqueza entre los ciudadanos siguiendo un plan previamente diseñado, garantizando así la igualdad entre todas las personas; en definitiva, el final de la diferencia de clases. Como ente colectivo, el estado socialista parecía una excelente forma de superar el individualismo, marca definitoria del capitalismo. En consecuencia, el gobierno llevó a cabo una feroz política de nacionalizaciones que afectaron ahora a la pequeña y mediana empresa, hasta que logró el objetivo de absorber absolutamente a todas las empresas y sectores económicos. Todo ello habría de formar parte del estado, sustituyendo así el libre mercado por un monopolio estatal.

La súbita implantación de un sistema económico dirigido afectó principalmente al pequeño comerciante y al agricultor, ya que la prohibición de comerciar con los excedentes provocó la desaparición del comercio interior. La inflación se disparó, y en muchas aldeas las transacciones monetarias fueron sustituidas por el trueque. En un solo año, el precio del pan aumentó hasta diez veces y el gobierno empezó a pagar parte del salario de los trabajadores en especie. Ya no existía el comercio privado y las fábricas producían casi en exclusiva para el estado.

La industria fue uno de los sectores más velozmente nacionalizados. La breve experiencia autogestionaria había dejado al descubierto la incapacidad de los obreros para responder a las exigencias del estado, de forma que una vez que se hubo hecho este con las riendas de las factorías, readmitió a los técnicos, ingenieros, directivos y administrativos que retornaron a sus puestos de trabajo como asalariados del gobierno. Se recuperaba así el sistema empresarial de jerarquías, por el que de nuevo un puñado de directivos ostentaban un poder decisorio sobre los obreros, aunque siempre bajo las órdenes del Sovnarkom. Igualmente, los sindicatos fueron insertados en la estructura estatal, de manera que se convirtieron en una eficaz correa de transmisión de las órdenes del gobierno entre los trabajadores. Lenin aseguraba que la propia naturaleza de los sindicatos los obligaba a formar parte del estado socialista, así podrían imponer sus reclamaciones sindicales desde el propio poder. Este planteamiento tan bello se tradujo en la práctica en un sindicalismo único estatal, o dicho de otro modo, la supresión de cualquier forma de reivindicación obrera libre. Al igual que ocurrió con los soviets, la conversión de los sindicatos en órganos institucionales del estado les obligó a asumir la responsabilidad del incremento de producción, pago de salarios, disciplina y prevención de huelgas, siempre calificadas de «contrarrevolucionarias», de forma que a efectos prácticos no fueron más que una especie de capataces a las órdenes del Sovnarkom.

La política económica de Rusia durante la guerra civil facilitó la victoria militar a costa de un rotundo fracaso en la producción, totalmente escorada hacia las necesidades militares, provocando un descenso general de la producción, hambre, inflación y enfermedades.

Rusia emergió de la guerra deshecha, en medio de un colapso económico y completa bancarrota. En los próximos años, y especialmente en 1921-22, una hambruna de enormes proporciones provocó el fallecimiento de millones de rusos. La crisis tuvo serias consecuencias en forma de rebeliones campesinas que asolaron regiones enteras, aireando lemas en contra del comunismo y la colectivización. Muchas de ellas llegaron a ser tan fuertes que ni siquiera el enorme despliegue militar del Ejército Rojo pudo sofocarlas hasta pasados varios años. Uno de los más conocidos caudillos rurales fue Antonov, que llegó a dirigir un ejército de unos sesenta mil campesinos que mantuvieron en jaque a la provincia de Tambov, aterrando a funcionarios, burócratas y recaudadores. Después de cruentas luchas y treinta mil labriegos sacrificados, el movimiento de Antonov fue finalmente derrotado.

Las ciudades también fueron testigo de la reproducción mimética de las huelgas y disturbios de los años anteriores a la revolución. El hambre empujó a miles de obreros a manifestarse repetidas veces contra el gobierno entre enero y febrero de 1921, solicitando el fin de las medidas de excepción ahora que ya había terminado la guerra. Una de las reclamaciones más repetidas exigía la restitución del libre mercado en los niveles más bajos, a fin de que los campesinos y trabajadores pudieran comerciar y beneficiarse directamente del sudor de su frente. En seguida resucitaron viejas consignas que reclamaban la apertura de la Asamblea Constituyente y elecciones libres en los soviets, ahora completamente mediatizados por los bolcheviques.

Los primeros movimientos comenzaron en enero. Para el Sovnarkom, que presumía abiertamente de ser el primer gobierno obrero de la Historia, era un auténtico desastre que fueran los propios trabajadores quienes se levantaran contra el régimen. Lenin lo esperaba de los campesinos, y tuvo pocos reparos morales a la hora de reprimir los graves tumultos que se reprodujeron en el medio rural, pero las protestas obreras eran una cuestión muy diferente. Al fin y al cabo, el Sovnarkom pretendía ser la voz de los obreros. Si perdía su base obrera, también perdía su razón de ser. De modo que, sin dejar nunca de asegurarse desde el gobierno que las protestas no eran sino movimientos contrarrevolucionarios secretamente instigados por los blancos para socavar el victorioso gobierno de los trabajadores, la respuesta de Lenin intentó compaginar la pura represión con intentos de reconciliación y promesas de concesiones.

El año 1921 comenzó francamente turbulento en Moscú. El gobierno había decidido reducir a un tercio el racionamiento que hasta entonces correspondía a los ciudadanos, lo que provocó el levantamiento instantáneo de la capital. La medida no era un capricho del gobierno; la situación económica exigía tomar medidas drásticas, aun a pesar de incrementar los padecimientos del pueblo, pero los hambrientos trabajadores no quisieron entenderlo[71]. Como en los viejos tiempos, las fábricas se transformaron en improvisados centros de reunión en los que agitadores obreros reclamaron el fin de la economía dirigida. Los trabajadores no soportaban la idea de que, después de haber pasado por dos revoluciones e innumerables penurias, siguieran reducidos material y económicamente a un estado parecido y en algunos casos peor al que tenían durante los últimos años de la monarquía. Para contrarrestar el grueso caldo de cultivo que las reuniones fabriles estaban cocinando, los representantes bolcheviques intentaron convencer a los obreros de la necesidad de estas medidas, siendo conminados los delegados del partido en

---

[71] Las grandes nevadas de aquel invierno se conjuraron con la escasez de petróleo, provocando el desabastecimiento de las ciudades, ya que los convoyes alimentarios no podían llegar.

cada fábrica para que se sumergieran en un combate dialéctico contra los instigadores de la revuelta social. En muchas factorías, los bolcheviques fueron recibidos entre abucheos, y Lenin empezaba a acumular preocupantes informes en su despacho que dejaban bien claro el hartazgo de los trabajadores. El carismático líder bolchevique se presentó personalmente en varias de las fábricas más importantes de la capital con el objetivo de convencer a los trabajadores de que debían de seguir confiando en el gobierno. Su discurso fue seguido con solemne respeto por los trabajadores de todas las fábricas a las que acudió, sin embargo, en una de ellas escuchó una leve murmuración que le hizo reflexionar y quizá salvó el futuro del régimen: Cuando Lenin preguntó enfáticamente a los obreros si preferían la vuelta de los blancos, uno de ellos murmuró de forma más perceptible de lo que le hubiera gustado que «no nos importa quienes vengan, pero ustedes váyanse».

En seguida se reprodujeron los tumultos en la calle. De la fábrica a la calle, como antaño, y acompañados de carteles que reclamaban el fin del gobierno bolchevique, la abolición del comunismo de guerra en favor de una economía libre y el aumento en las raciones de comida. El estallido huelguístico se tradujo en un auténtico tsunami de protestas que se extendieron como la pólvora por todo el país, amenazando con tumbar al gobierno soviético como habían hecho con el autocrático. La más amenazante de ellas se desarrolló en Petrogrado que a partir de marzo tomó el testigo de Moscú como centro de las protestas obreras. Los perseguidos eseristas y mencheviques azuzaron a los trabajadores para que mantuvieran la presión contra el gobierno y este, superado por los acontecimientos, tuvo que sacar las tropas a la calle. Es fácil imaginar el siguiente paso: los trabajadores estaban recibiendo los palos del gobierno obrero, y tenían exactamente el mismo sabor que los de la autocracia zarista. Un punto a favor para la oposición socialista —eseristas y mencheviques—, que no ocultaba su satisfacción por ver en apuros al gobierno que los estaba encarcelando.

Las tensiones no tardaron en reproducirse. El desabastecimiento pudo más que la policía y los militares, y de nuevo se generaron protestas callejeras. Los mendigos se multiplicaron en número, transformándose en una estampa habitual de la Rusia de aquellos días y además se empezaron a difundir rumores de lo más variado, algunos no carentes de fundamento, como el que aseguraba que los miembros más prominentes del partido se beneficiaban de un racionamiento más flexible y que eran premiados con ropas y calzado nuevos. Los ánimos de la multitud se exasperaban por cada nuevo rumor, hasta el punto de que cuando el presidente del Consejo de Sindicatos de Petrogrado se presentó con ánimo conciliador ante los más de dos mil trabajadores que se manifestaban en la calle contra el gobierno fue golpeado por la multitud. Las políticas de apaciguamiento no parecían dar el resultado apetecido y de nuevo se tuvo que recurrir a la solución militar. El Sovnarkom sopesaba cuidadosamente la posibilidad de que, tal y como ocurrió en 1917, los soldados terminaran por solidarizarse con las protestas obreras, lo que pondría en muy serio aprieto al gabinete bolchevique. En consecuencia, muchos destacamentos considerados poco fieles fueron desarmados o inmovilizados en sus cuarteles.

En seguida el gobierno tuvo que enfrentarse a una nueva manifestación, esta vez secundada por todas las factorías de Petrogrado, teniendo que recurrir de nuevo a los soldados para dispersarla. La antigua capital fue apaciguada una vez más, pero la tensión se palpaba en las calles. La sensación general del pueblo era de exasperación, de insatisfacción, de cierta desilusión con respecto a la gestión del gobierno obrero. El Consejo de Sindicatos, el Partido Comunista y el soviet local publicaron una nota en la que se exhortaba a los obreros a deponer su actitud y volver al trabajo. Desde las estructuras soviéticas se aseguraba que con su actitud los trabajadores estaban haciendo el juego a la contrarrevolución, pero estos no hicieron caso y la protesta se convirtió en un auténtico clamor contra el régimen. Por primera vez, las confusas reivindicaciones de las manifestaciones anteriores se habían clarificado y organizado. Exigían el fin de la política de racionamiento, la retirada de las fábricas de los grupos armados de miembros del partido bolchevique que no hacían mas que una función meramente policial, la restauración de los derechos y libertades básicos como el de reunión, opinión, asociación o expresión, el fin de los batallones de trabajo, la amnistía de todos los trabajadores e izquierdistas que estaban en prisión, la reapertura de la Asamblea Constituyente y elecciones libres para los soviets. El Sovnarkom respondió cuidándose mucho de reprimir con excesiva violencia la gran manifestación, pero decidió tomar medidas más drásticas a nivel individual, lo que se encarnó en el despido fulminante de los instigadores de las protestas, con su consecuente pérdida del derecho a la cartilla de racionamiento.

El gobierno consiguió encauzar las protestas populares y Petrogrado se transformó en una ciudad ocupada cuya imagen más habitual iba a ser la de los soldados patrullando las calles y pidiendo la documentación a cada paso. Se impuso el toque de queda, cerrándose locales susceptibles de encender la chispa de una revuelta espontánea; en síntesis, lugares donde se juntaba mucha gente, lo que implicó el cierre de los pocos teatros que aún quedaban en pie. Fueron reforzadas las escuadras de miembros armados del partido bolchevique que vigilaban a los obreros mientras trabajaban en completo silencio[72], encerrados en fábricas literalmente sitiadas por las fuerzas armadas. Al mismo tiempo, la Cheka desarrolló un silencioso trabajo que concluyó en el arresto de muchos anarquistas, eseristas y mencheviques. El Comité Central del partido menchevique desapareció de un plumazo al tiempo que los bolcheviques realizaban enormes esfuerzos en las fábricas para convencer a los trabajadores de que estaban siendo manipulados por los contrarrevolucionarios. El argumento de las pérfidas maquinaciones de los blancos, exóticamente aliados con eseristas, mencheviques o anarquistas, ya no calaban entre el pueblo trabajador que estaba cansado de recibir siempre la misma explicación para justificar todos los males que sufría el país.

Al mismo tiempo que se llevaba a cabo un trabajo de detención política de gran calado y se intentaba convencer con buenas palabras a los trabajadores, el Sovnarkom aprobó una serie de medidas que lograron aplacar los ánimos de los huelguistas. Fueron concedidas raciones extra de comida, algo que repercutió gravemente en el abastecimiento de la ciudad, y se les permitió entrar y salir libremente de Petrogrado para aprovisionarse de comida, sin tener que pedir permiso a las autoridades. El 1 de marzo se retiraron todos los controles militares que impedían el tránsito de la ciudad al campo y muchos soldados asignados a batallones de trabajo fueron desmovilizados[73]. Para alivio del gobierno, el 3 de marzo la huelga se deshinchaba de forma tan natural como había surgido. Las cosas volvían a la normalidad sin haber llegado al punto critico de una revuelta armada y su consecuente represión sangrienta. A pesar de todo, la insatisfacción seguía alimentando el rencor de muchos obreros y, de forma más oculta, de muchos soldados que silenciosa-

---

[73] Tras la finalización de la guerra civil, muchos de los soldados fueron reutilizados como mano de obra barata para la construcción de grandes obras públicas o reparación de infraestructuras.

mente compartían las reclamaciones populares. Los cuarteles militares iban a oponer el próximo desafío a un régimen comunista que había demostrado con creces que estaba decidido a sobrevivir aún a costa de su propio pueblo.

LA GRAN SUBLEVACIÓN

La más grave contestación de posguerra al poder soviético partió de uno de los centros más fervientemente revolucionarios de todo el país: Kronstadt. Se trataba de una importante fortaleza militar, sede de la flota del Báltico, situada en el extremo de una isla a 30 km de Petrogrado. La sola mención del nombre Kronstadt infundía valores revolucionarios, y el gobierno bolchevique se había preocupado de ensalzar a los soldados de la fortaleza como ejemplo de sacrificio por el ideal. Los soldados de Kronstadt tuvieron una participación decisiva en los hechos que condujeron a la instauración del poder bolchevique y fueron vitoreados y puestos como ejemplo por el nuevo gobierno casi hasta el empalago. Para Trotsky eran «el orgullo y la gloria de la revolución». La ideología revolucionaria había impregnado muy profundamente a los militares de la base naval, y en general no mostraron insatisfacción alguna durante la guerra civil, mostrándose muy disciplinados. Pero las cosas empezaron a cambiar tras la derrota blanca en los campos de batalla. Los soldados de Kronstadt habían aceptado las medidas económicas de excepción, comprendiendo su perentoria necesidad, pero cuando avanzó el año 1921 y comenzaron a ver que no fueron ni siquiera ligeramente atenuadas, un halo de decepción recorrió el cuartel. El gobierno se había hecho con el control económico y político de toda la nación y no daba muestras de querer devolverlo. Los soldados no comprendían. Los que volvían de permiso, después de varios días de visita en casa de sus padres y hermanos campesinos, contaban cosas muy alejadas de lo que los periódicos publicaban: descubrían así que la incautación del grano seguía igual que en la época de guerra y constataban abusos y terribles violencias contra los agricultores. Las penalidades que los soldados habían pasado durante la guerra no eran tan terribles en comparación con las que estaban sufriendo sus arruinados y hambrientos familiares. Las noticias de conatos huelguísticos que comenzaban a llegar desde Moscú y luego desde la cercana Petrogrado provocaron en los soldados un sentimiento de solidaridad e indignación. Los terribles hechos de Petrogrado no hacían más que aumentar la sensación de desilusión, de insatisfacción y de engaño que tenían los soldados. La tensión en alza que vivió Petrogrado influyó grandemente dentro del acuartelamiento de Kronstadt, y los rumores que llegaban, muchos de ellos falsos, anunciando masacres contra la población, provocaron la convocatoria de una asamblea de todos los marineros para tomar una decisión a favor o no de intervenir del lado de los trabajadores en la antigua capital. Por suerte para el gobierno, la situación en la ciudad terminó por calmarse y los soldados de Kronstadt no salieron de sus cuarteles, un hecho que habría provocado una crisis sin precedentes en la historia de la joven república soviética. Sin embargo, Kronstadt estaba silenciosamente poniéndose en pie. La asamblea aprobó un texto que tachó de ilegítimo al gobierno bolchevique, al no ser auténticos representantes de la voluntad popular. Una declaración de guerra contra el Sovnarkom, que fue tomada como tal a pesar de que la primera intención de los soldados no era otra que forzar al gobierno a introducir una serie de reformas que democratizaran el estado. La declaración de los marineros de Kronstadt hablaba de poner fin al «régimen de los comisarios» y reclamaba el restablecimiento de las libertades básicas de reunión, prensa y opinión. Fieles como eran a la doctrina revolucionaria, nunca llegaron a reclamar la apertura de la Asamblea Constituyente y la libertad de expresión que solicitaban con tanto ahínco tan solo estaba reservada para los partidos de izquierdas, como eseristas, mencheviques o anarquistas. En consecuencia, también reivindicaban la liberación inmediata de todos los presos políticos de izquierdas, obreros o campesinos, que abarrotaban las cárceles rusas en fechas tan tempranas del régimen soviético. También querían abolir los batallones de trabajo, considerados abusivos una vez terminada la guerra, y conceder a los campesinos una libertad total de disposición del producto de sus tierras. Una vez aprobado el programa, la asamblea envió a Petrogrado varios delegados a fin de que lo distribuyeran públicamente por toda Rusia. Las copias del programa fueron secuestradas por el gobierno y los delegados nunca más volvieron a Kronstadt.

El 2 de marzo los soldados organizaron una reunión a la que acudieron más de trescientos delegados. El objetivo era escoger un nuevo soviet de Kronstadt, ya que el anterior, completamente dominado por los bolcheviques, había sido declarado ilegítimo. Los delegados comunistas protestaron con todas sus fuerzas, pero fueron acallados por la multitud. Sin que pudieran hacer nada para evitarlo, el comisario político de Kronstadt y los funcionarios fueron arrestados provisionalmente, y la asamblea escogió una nueva directiva del soviet. Acto seguido tocaba escoger a los delegados, pero de nuevo los rumores condicionaron la actitud de los marineros: según la multitud, el gobierno había dirigido hacia allí varios regimientos armados para interrumpir la celebración de la asamblea. El rumor, completamente falso, incitó a los miembros de la asamblea a tomar el camino más rápido y nombrar a un Comité Revolucionario Provisional que, bajo la presidencia de Stepan Petrichenko, ordenó la ocupación inmediata de todos los centros neurálgicos de la isla, como oficinas de telégrafos, arsenales o la comisaría de la Cheka, a fin de defenderse del supuesto avance gubernamental. Las tropas del gobierno no llegaron, pero los soldados de Kronstadt ya habían dado el salto de calidad hacia la insurrección y no había marcha atrás. El motín de los fieles y mitificados soldados de Kronstadt fue como un inesperado bofetón en la cara del gobierno, aún más doloroso en cuanto que se levantaba contra él un autodenominado Comité Revolucionario Provisional, toda una provocación.

Los amotinados de Kronstadt establecieron una comuna revolucionara en la que se quiso garantizar la libertad de expresión, incluido un partido comunista arrinconado al que se le permitía dar sus puntos de vista, pero en el que no veían más que la voz de su amo. Consideraban ineludible que existiera una libertad plena de todos los grupos de izquierda dentro de ella. Estaban dispuestos a hacer una nueva, la definitiva, la de verdad. El gobierno respondió de inmediato. No podían permitir una extensión del motín al continente, y mucho menos teniendo tan cerca la importantísima ciudad de Petrogrado. A pesar de que algunos pasquines conteniendo las proclamas de los amotinados tuvieron éxito y alcanzaron Petrogrado y ciudades cercanas, el gobierno supo controlar con mucha eficacia la distribución de la propaganda sediciosa. La prensa no informaba ni una línea de lo que estaba ocurriendo, logrando aislar la zona amotinada del resto de Rusia. Esta vez, el gobierno no tenía ninguna intención de transigir, algo muy alejado de lo que la mayoría de los marineros pensaban.

A principios de aquel marzo de 1921, los 30 km de mar que separaban a la isla del continente aún se encontraban helados, de forma que sería fácil enviar tropas de infantería que caminaran sobre el hielo para

El Ejército Rojo avanza sobre la gruesa placa de nieve que cubre la distancia entre el continente y Kronstadt. El Sovnarkom estaba decidido a erradicar de raíz el peligroso motín que había prendido entre los miembros de aquella famosa guarnición.

sitiar la fortaleza, pero habría que darse prisa, pues la época del deshielo no tardaría en llegar. Trotski ordenó el traslado urgente a Petrogrado de batallones enteros del Ejército Rojo procedentes de todas las regiones de Rusia. Se estaba preparando un asalto en toda regla. En el cercano acuartelamiento de Oranienbaum, un pequeño movimiento disidente que apoyó a los sublevados fue ferozmente reprimido por las tropas de Trotski, que fusilaron sin ningún miramiento a cuarenta y cinco hombres, entre ellos al presidente del Comité Revolucionario formado a imitación del de Kronstadt. Con esto el gobierno dejaba claro que no estaba dispuesto a permitir ningún motín dentro del ejército, pero lo único que consiguió fue que los rebeldes se atrincheraran más en sus posiciones. Mientras tanto, Petrogrado se transformaba aceleradamente en un hormiguero de soldados, militantes armados del partido bolchevique, miembros de las Juventudes Comunistas y un ingente material bélico formado por cañones, tanques y aviones. La ciudad estaba de nuevo en estado de guerra, advirtiéndose a la población civil que cualquier

reunión de más de dos personas quedaba terminante-
mente prohibida, pudiendo ser ejecutados en el acto
quienes desobedecieran esa orden.

El 5 de marzo el Sovnarkom hizo público un ultimátum contra los amotinados de la fortaleza de
Kronstadt: si no se entregaban incondicionalmente en
un plazo de 24 horas, serían arrollados sin clemencia.
Los miembros del Comité Revolucionario Provisional
no tardaron en contestar, enrocándose en su posición
con firmeza, todavía seguros de que la revolución se
extendería y derrocaría o al menos haría recapacitar al
gobierno soviético para dar un decisivo viraje de
timón. «No habrá necesidad, señor Trotski, de tu
clemencia», terminaba el comunicado adoptando un
quimérico tono de seguridad en la victoria. La respuesta no fue del agrado del gobierno y la situación se
enconó aún más. Aquel mismo día, el gobierno aprobó
una medida por la que los familiares de los amotinados
fueron apresados, amenazando con su próxima ejecución en caso de que el comisario y los funcionarios
comunistas presos sufrieran algún daño.

El 7 de marzo, la tensión psicológica dio paso a la
guerra abierta. A partir de esa fecha vencía el plazo
dado por los comunistas para verificar la rendición
pacífica e incondicional de los amotinados de
Kronstadt —habían ampliado el ultimátum 24 horas
más—, y los marineros se aprestaban a fortificarse
para aguantar un fuerte asedio que debían de resistir
hasta el deshielo. Los defensores de la fortaleza contaban con una nada despreciable fuerza de trece mil
soldados y dos mil civiles y las excelentes murallas
repletas de cañones de la plaza de Kronstadt. Así pues,
la madrugada del 7 de marzo Trotski dio la orden que
lanzó sobre el hielo, aún duro y muy resistente, a las
fuerzas de infantería del Ejército Rojo, previo cañoneo
de la fortaleza. Vestían completamente de blanco para
que fuera más difícil ser distinguidos en medio del

paisaje nevado que les rodeaba, pero no pudieron evitar que las baterías defensivas de Kronstadt hicieran fuego contra ellos, rasgando el hielo sobre el que avanzaban y provocando el ahogamiento de muchos atacantes. El avance gubernamental, demasiado precipitado, había fracasado estrepitosamente. Desde el continente, los bolcheviques intentaron desmoralizar a los amotinados con una nueva tanda de cañonazos que fueron respondidos con igual intensidad. Trotrski estaba furioso. No podía admitir que se les estuvieran resistiendo, había que terminar cuanto antes con aquella insubordinación inoportuna que ponía en evidencia la labor del gobierno.

El 8 de marzo se reanudó la ofensiva, saldándose con un nuevo fracaso. El tiempo pasaba estérilmente para el gobierno, que preveía que pronto se le echaría encima la época del deshielo, lo que provocó un estado de permanente intranquilidad dentro del ejecutivo. Animados por su exitosa resistencia, los defensores de la fortaleza dieron un paso más arrestando a todos los comunistas, considerados peligrosos por ser una potencial quinta columna, llegando a unos trescientos el número de detenidos. Durante varios días, el gobierno continuó embistiendo la fortaleza con fuego de cañones e infructuosos ataques aéreos, sin lograr cercenar un ápice la voluntad de resistencia del Comité Revolucionario Provisional. Varios ataques de infantería fueron de nuevo rechazados, y en el seno del gobierno crecía la ansiedad.

Pasaron varias jornadas de cruce estéril de cañones, mientras el Ejército Rojo concentraba más y más tropas en Petrogrado y sus alrededores. Por fin, el 17 de marzo a las tres de la mañana se inició el ataque definitivo. A continuación, la inevitable batalla; encarnizada, larga y muy sangrienta en la que los defensores de Kronstadt demostraron un valor inútil frente a un Ejército Rojo que mostraba una superioridad numérica abrumadora y que enviaba constantemente tropas de refresco salidas como de la nada. Al atardecer la balanza se decantaba claramente del lado gubernamental y una vez caída la noche, la resistencia de Kronstadt se desplomó, huyendo unos ocho mil soldados, entre ellos su líder Petrichenko, a Finlandia para ponerse a salvo de la consiguiente represión. Poco antes de las 12 de la noche, desde el cuartel general comunista de Kronstadt se envió un escueto mensaje a Petrogrado: «Los nidos contrarrevolucionarios han sido liquidados. El poder está en manos de la autoridad soviética». Terminaba así el mayor desafío al poder bolchevique que acaeció después de la guerra civil. A partir de ahora el Sovnarkom se esforzaría en reforzar tanto su propia autoridad[74] como las competencias de la Cheka, pero accediendo a las demandas populares en cuanto a la liquidación del comunismo de guerra por un nuevo sistema económico más libre que será conocido para la posteridad como NEP[75].

En cuanto al terreno militar, Kronstadt supuso para el gobierno bolchevique un severo toque de atención. El ejército fue depurado de todo sector o individuo sospechoso de simpatías antigubernamentales, alterándose toda la estructura de oficiales y regimientos. El acuartelamiento de Kronstadt fue íntegramente sustituido por nuevos soldados, la mayoría cadetes jóvenes y muy fieles al régimen, junto con oficiales de probada confianza. Todos los amotinados que no habían logrado huir fueron fusilados sin juicio previo, a excepción de catorce de ellos que fueron falsamente acusados de ser los cabecillas de la rebelión. Tras un

---

[74] A partir de marzo de 1921, los miembros del partido dejaron de estar autorizados para la libre discusión de propuestas si no era dentro de los órganos del estado. La dictadura de partido se estrechaba aún más para transformarse en la dictadura del gobierno.

[75] Siglas en inglés de *New Economic Policy* (Nueva Política Económica).

rápido juicio-farsa en el que quedó hipotéticamente probada una inexistente relación con elementos contra-rrevolucionarios blancos, el 20 de marzo los supuestos cabecillas de la insurrección fueron enviados al pare-dón, siguiendo así la suerte de sus compañeros y la de muchos de sus familiares.

6

Los herederos

Dentro de cada revolucionario se esconde un policía.
Gustave Flaubert

CAMBIO DE RUMBO

La Nueva Política Económica puesta en marcha a partir de 1921 no fue capaz de evitar el colapso generalizado de 1921-22, terrible secuela de los años de guerra y revolución. Los supervivientes del proceso revolucionario casi no tuvieron tiempo de enterrar como es debido a sus muertos sin que los elementos de la naturaleza se conjuraran con las desgracias ya presentes para originar una de las peores cosechas del siglo. A unos inviernos feroces siguieron estíos extremadamente secos. La consecuencia directa fue una de las más terribles hambrunas de la historia reciente de Rusia. Además, la política de requisas, suspendida por la NEP, había provocado que los campesinos dejaran de producir excedente para no tener que entregarlo, lo que condenó a las aldeas a la pura subsistencia y a las ciudades a una severa escasez. Pero el hambre no vino sola. Como es costumbre, la falta de vitaminas y elementos básicos en la dieta predispone a la aparición de enfermedades como el escorbuto, y la debilidad generalizada, unida a la falta de higiene derivada de los desastres de la guerra, facilitan la expansión de virus y bacterias de lo más diverso. Rusia no fue una excepción a la norma, y patologías comunes como el tifus y el cólera se adueñaron de grandes extensiones del medio rural, calculándose en dos millones los muertos por esta causa en toda Rusia.

A medida que pasaban los meses, la crisis de subsistencias no daba muestras de remitir. En algunas zonas como las regiones del Volga, del Don y de los Urales, la falta de alimentos llegó a tales extremos que los campesinos tuvieron que recurrir a la ingestión de hierbas y corteza de árboles. Perros y gatos desaparecieron literalmente, terminando sus días entre las mandíbulas de los hambrientos paisanos que hacían lo imposible por alimentarse de las formas más imaginativas. Los niños con los vientres hinchados deambulando como fantasmas por las aldeas se transformaron en una imagen habitual de la Rusia agraria posrevolucionaria, una nación postrada que se esforzaba por esconder sus miserias tras el brillante telón de la revolución socialista. El medio rural fue el sector que más rápidamente aplicó medidas drásticas para combatir el hambre. Acostumbrados a las hambrunas cíclicas desde generaciones atrás, no les resultó costoso traspasar la barrera del canibalismo. Al fin y al cabo, no era la primera vez que recurrían a esta salida, y tampoco sería la última[76]. Muchas familias comenzaron a alimentarse de los cuerpos de sus parientes muertos, una práctica que lejos de parecerles inmoral interpreta-

---

[76] Durante el régimen estalinista (1928-53) se reprodujeron las hambrunas en varias ocasiones, aunque con una menor incidencia. También se recurrió al canibalismo para subsistir, especialmente en los años de la invasión alemana, durante la Segunda Guerra Mundial. Los testimonios que nos han llegado de aquella época son francamente estremecedores.

Niños desnutridos. Aunque afectó con más fuerza en determinadas zonas, como la del Volga o los Urales, la gran hambruna de 1921 dejó imágenes como esta por todo lo ancho y largo de Rusia.

ban como un favor *post mortem* que les dejaba su abuelo, su padre o su hijo fallecidos. Las profanaciones de tumbas en busca de cadáveres que llevarse a la boca se generalizaron en las regiones más afectadas por la hambruna, llegando al extremo de enviar soldados a las aldeas más remotas para que hicieran guardia en las puertas de los cementerios. A los más desesperados no les quedó otra opción que dedicarse casi profesionalmente al asesinato, generándose de rebote un incipiente mercado negro de cuerpos humanos que aún no ha sido suficientemente estudiado.

El hambre fue un fenómeno mucho más extendido de lo que el gobierno tuvo a bien reconocer. En un primer momento, el Sovnarkom quiso esconder el drama detrás de una gruesa capa de opacidad informativa. Se prohibió a los medios de comunicación hacer ningún tipo de referencia a estos hechos, por otra parte ya supeditados a un férreo control estatal, pero a partir de julio de 1921 la evidencia de la existencia de una gravísima crisis de subsistencias desbordó cualquier tipo de precaución informativa: el gobierno permitió hacer leves referencias. Una posición que pone en evidencia a un gobierno conscientemente mentiroso que, por otra parte, nunca admitió que una de las consecuencias más escandalosas del hambre, el canibalismo, no fuera más que un insignificante problema puntual. Los informes oficiales que nos han llegado hablan de millares de casos de canibalismo confirmados en los Urales y la Baschkiria, extendiéndose el fenómeno como una verdadera plaga a partir de noviembre de 1921 para remitir drásticamente durante los últimos meses de 1922 y el año 1923. Los resultados de la aplicación de la NEP reflejaban por fin su impronta benéfica en el campo ruso; mejoraron las cosechas, y como consecuencia de ello y del restablecimiento del libre mercado para la venta de excedentes agrícolas, la terrible hambruna de 1921-22 fue superada, quedando vista para la sentencia de la historia.

La NEP fue una medida necesaria. Lenin se dio cuenta a tiempo de que si las cosas seguían por ese rumbo el país explotaría devorado por los motines, y la revolución tan costosamente implantada se desharía como los azucarillos en el café. Este es un mérito achacable exclusivamente al líder bolchevique: supo prever tanto los peligros inmediatos como los que amenazaban a largo plazo a la revolución. Preparó, provocó, puso las bases y conservó la revolución con toda su energía, un anhelo cuya realización y posterior conservación se convirtió para Lenin en una obsesión personal.

Renunciar temporalmente a muchos de los postulados básicos del socialismo fue una decisión muy reflexionada. No cabe duda de que tuvo que ser dolorosa para un Lenin dispuesto a sacrificar hasta su propia vida por la revolución. Antes de anunciar públicamente los cambios que iba a introducir, el presidente del Sovnarkom dedicó varios meses a estudiar de cerca las causas reales de la insatisfacción en el campo. Consultó obras relacionadas con la materia, solicitó y elaboró personalmente informes sobre la cuestión agraria[77] y se preocupó de conocer la cuestión *in situ*, visitando aldeas y recibiendo personalmente a representantes campesinos. Su conclusión resultó demoledora: el régimen soviético era aún menos popular de lo que había imaginado. Aunque nunca llegó a compartirlas, Lenin comprendía las quejas de los campesinos. Si no quería que la revolución navegara sobre un mar de minas había que consentir la liberalización de la economía agraria en sus esferas más bajas, las que afectaban directamente a los productores, para saciar su deseo de ganar dinero a costa de los excedentes. Lenin reubicaba lentamente sus ideas en torno a la renovación de la economía rural rusa cuando el motín de los soldados de la base naval de Kronstadt le hizo ver que el cambio no podía esperar más. La aplicación de la NEP se haría con urgencia. Anunció inesperadamente las bases de la Nueva Política Económica que fueron aceptadas por la mayoría del partido a excepción del sector izquierdista, liderado cada vez con contornos más claros por Trotski. Lenin afirmó solemnemente que era necesario dar un paso atrás, «para coger carrerilla», una concesión económica que tendría la virtud de evitar las concesiones políticas, lo que facilitaría la estabilidad y posterior consolidación del régimen. Presentó la NEP como una necesidad temporal, afirmando contra los que consideraban que era una cesión al capitalismo que un estado como Rusia, pobre y casi medieval, precisaba de un proceso intermedio de libre mercado para estar preparada para el comunismo. Se trataría de un capitalismo dirigido y controlado por

---

[77] Lenin finalizó sus exhaustivos estudios sobre la cuestión agraria mediante la redacción de un opúsculo titulado *Borrador preliminar de tesis sobre los campesinos*, en el que vertía todas sus conclusiones. El texto anticipa las líneas cardinales de lo que será la Nueva Política Económica (NEP).

el estado obrero, que mantendría firmemente amarradas las riendas de los sectores fundamentales de la economía. Esto, y no otra cosa, era la NEP. Lenin era muy consciente de que el planteamiento económico que ahora predicaba se acercaba peligrosamente a lo propugnado durante años por mencheviques y eseristas, e incluso por el mismo Trotski, ahora posicionado muy a la izquierda en su exigencia de mantener incólume la economía dirigida. No tuvo empacho en reconocerlo. «Nuestro intento por pasar inmediatamente al comunismo nos valió la derrota más seria», dijo al tiempo que entonaba públicamente un mea culpa afirmando que «cometimos muchos errores, y el crimen mayor sería no reconocer que hemos pasado la medida».

La NEP recondujo la relación del gobierno con el campesinado desde las iniciales posiciones de enfrentamiento hacia un escenario de respeto mutuo que calmó notablemente el panorama político y social. Las autoridades levantaron el rígido veto comunista y los campesinos pudieron de nuevo trabajar libremente la tierra y vender sus excedentes, saciando sus ansias capitalistas. Es de notar que la propiedad oficial del suelo seguía siendo estatal, de forma que «realmente» los agricultores disfrutaban de un usufructo dadivosamente cedido por el estado. Se trataba de un sistema que combinaba el socialismo con un capitalismo a pequeña escala, dando vía libre en los ámbitos locales a la compraventa y producción privada, aunque el Sovnarkom nunca dejó de ser el órgano rector de la producción nacional a gran escala. El estado se reservaba sectores estratégicos como el de la gran industria, extracción y transformación de minerales, banca, transporte y combustibles, pero a cambio dejaba libres a los campesinos para cultivar y vender su producción en beneficio propio, poniendo fin definitivamente al sistema de requisa que fue trocado por un impuesto regulado. El pequeño comercio vivió una auténtica resurrección, muchas industrias locales fueron reprivatizadas y se interrumpieron las nacionalizaciones. La consecuencia directa fue un espectacular incremento de la producción, tanto agrícola como industrial, lo que se reflejó en una mayor prosperidad rural y una revitalización de las ciudades, que gozaban de nuevo del placer de ver sus comercios repletos de comida y materiales de lo más variopinto. Las pastelerías volvían a endulzar el paso de los caminantes con sus tentadores escaparates, los restaurantes ofrecían otra vez apetitosas cartas con un menú variado y jugoso, los ruidosos taxis volvieron a tomar las principales arterias de las ciudades, los cines y teatros, privados en su mayoría, anunciaban otra vez sus representaciones, llenando las calles con su bullicio. Hospitales, burdeles, mercados, cafés, casinos, restaurantes, carnicerías... abrieron sus puertas en medio de una alegría contagiosa. Las ciudades sufrieron una explosión de júbilo para indignación de los comunistas más ortodoxos, que creían ver en ello un renacimiento del capitalismo. No les faltaba algo de razón, ya que la implantación de la política liberalizadora supuso el surgimiento de una nueva clase de rico, denominado por los historiadores como «hombre NEP», que muchas veces era un comerciante o intermediario enriquecido recientemente afiliado al Partido Comunista. La NEP cercenó el monopolio estatal, dando la oportunidad a los ciudadanos para comparar entre los productos ofrecidos por las tiendas del gobierno y las privadas, y actuar en consecuencia. Esto generó una sensación de libertad que hacía mucho que no se vivía en Rusia, pero que trajo como secuela la aparición del fantasma del paro, un mal endémico en cualquier economía de libre mercado. Las desigualdades entre ricos y pobres se fueron haciendo cada vez más evidentes.

La prosperidad derivada de la aplicación de la NEP posibilitó la introducción de nuevas mejoras en

Cartel alusivo a la expansión de la luz eléctrica por los pueblos y aldeas de Rusia. Este fue uno de los grandes éxitos de la NEP.

todos los campos de la economía y la sociedad rusas. Por primera vez se realizaron avances serios en el ámbito de la escolarización, y en consecuencia los índices de analfabetismo descendieron drásticamente. Este fue uno de los éxitos rotundos del régimen de los soviets, que logró reducir la tasa de analfabetismo hasta menos del 50% de la población. Además, un número creciente de aldeas remotas comenzaron a descubrir la magia de la modernidad con la introducción de la luz eléctrica, centros de salud y hasta bibliotecas, así como la puesta en práctica de nuevas técnicas de cultivo importadas de Europa que facilitaron el trabajo en el campo e incrementaron y diversificaron la producción. En el ámbito sanitario, el gobierno soviético puso en marcha una ambiciosa campaña de vacunación que mermó notablemente la incidencia de las enfermedades en la población rural, quedando prácticamente erradicadas patologías otrora tan mortíferas como el cólera o la viruela.

El régimen soviético se estaba beneficiando ampliamente de la paz social que la NEP le estaba proporcionando, así que aprovechó para reforzar el dominio institucional. Su enraizamiento dentro del engranaje estatal era cada vez más evidente, como efecto de una inteligente política que desarrolló fuertes redes de clientelismo entre el funcionariado y los resortes de poder de la administración. A nadie se le escapaba que el régimen de los soviets amenazaba con transformarse en un gigantesco monstruo burocrático, como así ocurrió finalmente. Eran los primeros pasos de un camino que terminaba, indefectiblemente, en la vetusta y anquilosada *nomenklatura* que con el tiempo iba a ser uno de los rasgos definitorios de la burocracia soviética. El régimen se daba cuenta de la importancia del funcionariado para que su poder tuviera bases firmes. Las concesiones económicas de la NEP se vieron contrapesadas por un incremento espectacular del control soviético del estado y la sociedad, caminando velozmente hacia un estado totalitario. El X Congreso del Partido —marzo de 1921— supuso un importante paso en esta dirección en cuanto que, haciendo una lectura interesada del centralismo democrático leninista, se aprobó una resolución por la que quedaban prohibidas las facciones dentro del partido. Con la inestimable colaboración de Stalin, Lenin pretendía de esta forma poner las bases para la derrota final del sector izquierdista encarnado por Trotski, y de esta forma reforzar un poder que además de eficaz, había de ser incuestionable. Obviámente, si dentro del propio partido se estaba aplicando la ley de la mordaza, la sociedad rusa poco bueno podría esperar en cuanto a libertad de expresión se refiere. Y es que a partir de 1921 cualquier tipo de opinión contraria a la del gobierno comenzaba a ser perseguida con saña. La mayor parte de la intelectualidad crítica no aceptó unirse al coro de aduladores del régimen, de manera que empezaron a conocer toda la dureza del estado obrero: torturas, persecuciones y, por supuesto, miles de exiliados que se vieron obligados a abandonar el país invitados por las autoridades o por las propias circunstancias. Rusia se quedó sin gran parte de sus filósofos, escritores, artistas, ingenieros, matemáticos, historiadores o economistas. Lenin no los quería. Prefería crear desde cero una nueva *inteligentsia* cortada bajo el patrón marxista. De esta forma, las cabezas más preparadas de Rusia se vieron obligadas a exiliarse fuera de sus fronteras por temor a aparecer en una lista de intelectuales indeseables iniciada por el propio Lenin y engordada con minuciosidad por la Cheka, que a partir de 1922 comenzó a ser conocida como Administración Política del Estado (GPU, en ruso)[78]. Sin embargo, la gran purga de intelectuales comenzó a partir de 1924, año de la muerte de Lenin y de la puesta en marcha de la URSS. A partir de entonces se prohibió expresamente la publicación de cualquier texto que no tuviera la previa aprobación del gobierno, lo que provocó una poda superlativa de novelas y artículos, aunque trataran sobre los asuntos más triviales del mundo. Muchos textos fueron alterados en partes muy sustanciales, dejándolos irreconocibles. El organismo que perpetró todo este desastre cultural se llamaba Administración Principal de Arte y Literatura, y ejerció la censura hasta 1988. El pensamiento crítico fue sustituido por un escolasticismo marxista que transformó a la doctrina del economista alemán en una suerte de sagrada escritura, de dogma, de interpretación única e infalible de todas las realidades científicas y sociales.

En este ambiente de imposición política y doctrinal, Lenin consideró que la mejor manera de evitar el peligro de las facciones era apoyar la candidatura de

---

[78] A partir de la fundación de la URSS (1924), la GPU se expandió por todos los estados federados, renombrándose como OGPU (Administración Política Unificada del Estado).

Stalin al cargo recientemente creado de secretario general del partido. La campaña fue arropada por la orquesta mediática del Sovnarkom, de manera que no hubo problemas de relevancia capaces de enturbiar el nombramiento. Fue en abril de 1922, durante las sesiones del XI Congreso del partido. Para entonces la salud de Lenin estaba visiblemente resentida. Los médicos tranquilizaban al jefe del ejecutivo asegurando que lo que sufría no era más que un leve cansancio mental que desaparecería si abandonaba sus maratonianas jornadas laborales y se tomaba la vida con un poco más de relax. Sin embargo, el discurso de clausura del XI Congreso dejó patente que Lenin padecía de algo más que un simple cansancio. La imagen que ofreció a los congresistas fue la de un hombre prematuramente avejentado a quien le costaba grandes esfuerzos terminar las frases. Temblequeante, sudoroso y terriblemente fatigado, tuvo que ser ayudado por sus colaboradores para poder abandonar el escenario. Comenzaba el ocaso del gran líder revolucionario.

El sector de extrema izquierda aún inconscientemente acaudillado por Trotski comenzaba a destacarse frente al sector que podríamos llamar oficialista, representado por Lenin y Stalin. Los futuros trotskistas estaban formando una facción crítica, pero aún no eran del todo conscientes del peligro que eso suponía en medio de la furia antifaccionalista que vivía el partido. Criticaron vehementemente la NEP y solicitaron una y otra vez la vuelta a la economía planificada. No fueron capaces de imponer sus argumentos frente a una gran mayoría del partido que apoyaba a Lenin, y su derrota aupó a Stalin y los oficialistas a una posición de ventaja que el georgiano sabría bien aprovechar. Lenin seguía apoyándose en Stalin, pero su perspicacia le advirtió de que este estaba cobrando un excesivo protagonismo. No tardaría en intentar contrapesarlo con un último y necesario acercamiento a Trotski.

El crepúsculo

La mala salud crónica de Lenin se agravó notablemente a partir de la segunda mitad de 1921. Sus jaquecas cada vez eran más frecuentes y duraderas, y tuvo que reducir sus horas de trabajo al haberse descubierto incapaz de terminar una jornada completa. Otra de las dolencias que sufría desde la juventud, el insomnio, también se agudizó. Aunque seguía interesado en mantenerse al frente de todo, Lenin ya no era el mismo y los médicos le exigieron descansar; tomarse días, semanas y hasta meses totalmente desconectado de sus preocupaciones cotidianas. Solo así remitiría aquella extraña fatiga mental que lo acosaba. En consecuencia, fue trasladado a una dacha en Gorki, al sur de Moscú, en compañía de su esposa, una de sus hermanas y medio millar de libros que consideró imprescindibles para dulcificar su convalecencia. A pesar de las prescripciones de los médicos, Lenin mantenía su mente despierta leyendo enormes volúmenes sobre política, historia o filosofía, todos ellos dirigidos a lograr una mayor comprensión del mundo para ser aplicada al gobierno de Rusia. En cuanto se sentía mejor, no tardaba en presentarse en el Kremlin para retomar sus maratonianas jornadas laborales, lo que le acarreó no pocos disgustos con su mujer, Nadia Krupskaia, que no se cansaba en recordarle que debía de limitar sus horas de trabajo.

No fueron necesarias las imprecaciones de Krupskaia para recluir de nuevo a Lenin tras las paredes de la dacha de Gorki. Sufrió recaídas que le obligaron a abandonar su puesto. Ahí empezó su fama de enfermo quejica e irritable, y quizá su derrumbamiento moral: comenzó a leer tratados médicos que le aterrorizaron. El supuesto cansancio mental parecía tener unas causas muy diferentes a un mero exceso de trabajo, y comenzó a intuir que se trataba de un problema cerebro-vascular.

La difusión de esta imagen fue prohibida en la RFSFR. El enérgico Lenin era ahora un inválido de ojos abiertos como platos y permanente expresión de alucinado. Había sufrido varios ataques y estaba muy próximo a su fin.

Ya se lo habían advertido hacía muchos años. Comenzó a obsesionarse por su salud, a devorar libros relacionados con su problema y a cerciorarse de que nunca iba a mejorar de aquella dolencia; estaba abocado a una muerte lenta y cruel. Los pequeños infartos que había sufrido confirmaban sus peores sospechas, pero los médicos continuaban dándole ánimos y asegurando que solamente era una cuestión de descanso. Uno de ellos advirtió que el plomo de la bala de Fannia Kaplan, que continuaba alojada en su cuello, estaba envenenando su sangre, de manera que a finales de abril se llevó a cabo la extracción.

El postoperatorio fue bien, y el paciente comenzó a sentirse mejor, tanto física como anímicamente. Pero con fecha 25 de mayo de 1922 sufrió un ataque de apoplejía que le dejó paralizada toda la parte derecha del cuerpo y serios problemas para articular frases más o menos comprensibles. Los médicos empezaban a pensar que Lenin sufría de sífilis. Los síntomas encajaban. Además, su amante Inessa Armand había fallecido años atrás de la misma enfermedad[79]. Las pruebas practicadas dieron resultado negativo, pero no por ello los médicos lo terminaron de descartar. Hoy parece claro que su problema de salud había nacido con él, y que se trataba de una cuestión cerebro-vascular. Esto no quiere decir que la sífilis, que nunca se le diagnosticó oficialmente, pudiera estar presente complicando así su ya problemático estado de salud. Las leyes de la genética confirman la tesis del problema cerebral de Lenin, con derivaciones cardiacas que le llevarían a la muerte: su padre falleció de un infarto, su hermana Anna de un ataque de apoplejía con parálisis crónica, su hermana María de un ataque al corazón y su hermano Dimitri de una estenocardia.

Durante un tiempo Lenin se mantuvo convaleciente en Gorki y pareció que recuperaba lentamente la movilidad y el habla. Se sentía mejor, y los informes médicos resultaban tranquilizadores. Volvió a interesarse por los asuntos de gobierno, implicándose en cuanto se sentía mejor en el día a día del Sovnarkom. En aquellos momentos se debatía la futura constitución de la unión, y el debate resultaba francamente importante en cuanto que se estaba dirimiendo la forma político-administrativa del conglomerado geopolítico que los bolcheviques habían heredado del Imperio de los zares. A partir de la constitución de 1918, Rusia se había conformado como una república soviética, la RSFSR, a la que entidades nacionales teóricamente soberanas desde la proclamación de la victoria bolchevique en Rusia se unieron tras la implantación de gobiernos también bolcheviques por medio de tratados de asociación entre iguales. La propia Rusia albergaba en su seno una serie de nacionalidades a las que no se

---

[79] Inessa Armand fue amante de Lenin, con el conocimiento de su esposa. El mito del líder-héroe de conducta moral intachable que quiso legar el estalinismo se rompe para dar paso a un hombre lleno de pasiones y debilidades.

reconoció ninguna entidad soberana en igualdad de condiciones con la RSFSR, estando sometidos a ella como entidades autónomas. Los tratados de alianza se disfrazaron de acuerdo entre fuerzas soberanas e iguales, pero en realidad sancionaban una supeditación política y económica a Rusia. Además, los tratados de alianza añadían un punto interesante: se comprometían a buscar algún tipo de unificación política en el plazo más corto de tiempo posible. Una estrategia chusca para reconstruir geográficamente el Imperio zarista por medios aparentemente «voluntarios», no «imperialistas», pero al final el resultado era el mismo. El ejemplo paradigmático es Ucrania, transformada en república soviética por la fuerza de las armas y con un sentimiento independentista ampliamente extendido entre su ciudadanía que, sin embargo, firmó «voluntariamente» un tratado de unión con la Rusia soviética.

Los debates en torno a la nueva estructuración del estado y la nueva constitución dominaron la política del partido durante los años 1922 y 1923. Comenzaba de esta manera la primera fricción seria entre el convaleciente Lenin y el secretario general Stalin. Desde Gorki, el presidente del Sovnarkom pretendía que el nuevo estado se estructurase en forma de federación en la que la RSFSR habría de ser una más de la repúblicas de la unión, sin diferencias ni preeminencias de ningún tipo. Stalin, en cambio, a pesar de su origen georgiano, tomaba el testigo del rancio nacionalismo ruso afirmando que la futura unión debía de significar una expansión de la RSFSR a todas las republicas asociadas, que mantendrían un estatus autónomo dentro de ella. Stalin justificaba sus pretensiones afirmando que un estado federal no haría sino fomentar los nacionalismos en contra de los intereses del pueblo soviético, pero Lenin no veía en sus palabras más que patrioterismo barato, una derivación burguesa de la ideología oficial que no estaba dispuesto a admitir. Stalin llegó a amenazar a las naciones recientemente separadas de Rusia, como Finlandia o las repúblicas bálticas, afirmando que tarde o temprano Rusia habría de recuperarlas, lo que refrendó a Lenin en su idea de que el georgiano no buscaba más que la expansión de un imperialismo de nuevo cuño, una especie de nacionalismo ruso teñido de rojo. Ahora que se sentía débil y enfermo, el líder de los bolcheviques estaba descubriendo que había dado demasiado poder al otrora maravilloso georgiano, y que lo estaba aprovechando para colocar sus peones en puestos clave de la administración. La idea de que Stalin se hiciera dueño absoluto del partido y del estado horrorizó a Lenin, que comenzó a esbozar una estrategia para relevarle de la secretaría general. Este sentimiento de terror hacia un hombre de cuya falta de escrúpulos se había beneficiado en muchas ocasiones, comenzó a salir a la superficie confundido con los males de su convalecencia. Stalin le caía cada vez peor. Ya no se sentía a gusto en su presencia, le irritaba cualquier cosa que hiciera, hasta la más intrascendente. Comenzó a llamarle *asiático*, y se quejaba por cualquier nimiedad relacionada con él. Lenin demostraba un comportamiento digno de un niño o de un abuelo cascarrabias.

Los debates constitucionales tuvieron una presencia mínima de Lenin, que hizo lo que buenamente pudo para estar presente y activo en los mismos, pero su estado de salud no se lo permitía. Se cansaba en exceso y perdía el hilo de sus argumentos con frecuencia, lo que le provocaba una tensión tan fuerte que se temió por un nuevo ataque al corazón. El cuerpo de Lenin estaba demasiado enfermo para nuevas batallas. Entre el 24 de noviembre y el 2 de diciembre de1922 sufrió cinco colapsos que le retiraron definitivamente a su residencia de Gorki. El 13 de diciembre sufrió dos colapsos más y se temió seriamente por su vida, pero salió adelante. A partir de entonces, los médicos le obligaron a no saltarse nunca más sus prescripciones de descanso, y definitivamente quedó a cargo de su hermana y su mujer, alejado de todos los tejemanejes del poder. La noche del 22 al 23 de febrero Lenin sufrió un nuevo colapso. Quedó paralizado y ya no podía hablar. La situación era grave, y previendo el final, un nuevo enfermero se sumó a la comitiva: el secretario general Stalin. A partir de entonces, mal que le pesara a Lenin, el georgiano se convirtió en su único vínculo con el mundo exterior. Por prescripción médica se restringieron tanto las visitas como la correspondencia de Lenin, que tenían que contar con el visto bueno de Stalin antes de llegar a las manos del paciente. El secretario general se escudaba en que los médicos aseguraban que cualquier sobresalto o disgusto podía afectar a su estado de salud y terminar con su vida. Paralizado, sin habla, con la única movilidad de unos ojos con permanente cara de pasmo, Lenin se daba cuenta de que Stalin estaba haciéndose con el poder. Era muy consciente de que su final estaba cerca, así que unió fuerzas y entre gemidos costosamente pronunciados, logró dictar una serie de cartas que han pasado a la historia como el *Testamento Político de Lenin*. La idea era que aquéllas cartas fueran hechas públicas después de su fallecimiento, siendo mecanografiadas cinco copias en el más absoluto secreto. Sin embargo, como secretario general y responsable de la salud de Lenin, una de las secretarias consideró que Stalin debía de estar al tanto, cayendo una de las copias en sus manos. El georgiano palideció al leerlo: Lenin aseguraba que el gran peligro de la sucesión era el de la disgregación entre varias facciones, y para evitar esto proponía el aumento del número de miembros de Comité Central del partido de veintisiete a cien. Evaluó a los diferentes miembros del partido potencialmente aspirantes a la sucesión, desechando a personajes como Bujarin, a quien no consideraba plenamente

marxista, o Kamenev y Zinoviev, de quienes desconfiaba por su proclividad a llegar a acuerdos y concesiones con los sectores más moderados. Consideraba a
Stalin y Trotski como los hombres con mayores posibilidades de sucederle en el cargo, y se centraba en ellos,
no decantándose por ninguno pero prefiriendo al
segundo como mal menor. Consideraba a Trotski vani-
doso y arrogante, poco popular. Era muy consciente de
su gran nivel intelectual, y esto le hacía actuar de una
forma que muchos miembros del partido juzgaban
como despreciativa. A juicio de Lenin, Trotski era el
más dotado para gobernar, pero sus características
personales hacían que fuera muy difícil trabajar en
equipo con él. Stalin, en cambio, era excesivamente
brutal. Había acumulado demasiado poder y estaba
demostrado no saber canalizarlo ni limitarlo, lo que
prefiguraba que si alcanzaba la autoridad suprema se
convertiría en un déspota. No se podía permitir llegar a
este extremo. Stalin era demasiado peligroso.

EL LEGADO

Mientras tanto, el proyecto constitucional seguía
avanzando. Las repúblicas asociadas presentaron
formalmente a finales de 1922 sus propuestas para una
unión más estrecha, y el 10 de enero de 1923 se creó
una comisión para la redacción de una nueva constitución. Stalin había cedido a los deseos del jefe, y finalmente se optó por una estructura federal bajo la denominación de Unión de Repúblicas Socialistas
Soviéticas (URSS). Los debates constitucionales duraron todo el año y reflejaron, además, la progresiva
marginación del sector de extrema izquierda que ya
comenzaba a ser conocida como trotskista. Trotski no
parecía darse cuenta de que desde el poder se estaba
dibujando a sus partidarios como una facción, un delito

de lesa majestad en el enrarecido ambiente político de aquellos años. El espacio se estaba estrechando, Stalin quería quitarse de en medio al único político de raza que le podía hacer sombra y desde el poder extendió una serie de argumentos que airearon su pasado pro-menchevique, afirmando que Trotski no deseaba el triunfo de los ideales del bolchevismo.

En octubre de 1923, un grupo de izquierdistas, denominado *Plataforma de los 46*, firmó un manifiesto contra la NEP y en favor de Trotski, lo que desató nuevamente el miedo al faccionalismo. Las previsiones de Lenin parecían cumplirse, dibujándose un escenario de enfrentamiento intestino dentro del partido. La *Plataforma de los 46* exigía también una democratiza-ción interna ante lo que consideraban ambiente de *pánico a discutir* entre camaradas fomentado por el secretario general. Era una acusación directa contra Stalin, y este no tardó en responder. Apoyado por Zinoviev y Kamenev, en el XII Congreso del partido —diciembre de 1923—, acusó a los disidentes trotskis-tas de desleales y traidores, de contrarrevolucionarios. «El error de Trotski —afirmó— consiste en el hecho de que se ha puesto en contra del Comité Central y ha concebido sobre sí mismo la idea de que es un super-hombre que está por encima del Comité Central, por encima de sus leyes, por encima de sus decisiones». La *troika* oficialista formada por Stalin, Zinoviev y Kamenev arremetía con furia contra Trotski, unidos por el temor a que su facción se extendiera, accediendo a mayores cotas de poder.

Lenin, por supuesto, no estaba al corriente de estas luchas por el poder, aunque las intuía. Stalin impuso un exigente control sobre todo tipo de informa-ción que pudiera llegar al enfermo, pero no pudo evitar que en marzo de 1923 llegaran a sus oídos los ecos de un desagradable incidente acaecido cuatro meses antes entre Stalin y Krupskaia. El secretario general se había enterado de que la esposa de Lenin se saltaba el vallado informativo poniendo a su marido en contacto con miembros del partido sin su conocimiento. Stalin telefoneó a Krupskaia y, con un lenguaje soez cercano al desprecio, amenazó con echarla del partido si volvía a saltarse sus órdenes. Krupskaia prefirió no contar nada a Lenin, pero cuando este se enteró se puso lívido. Se sentía ultrajado y dictó una carta dirigida a Stalin afirmando que «cometiste la grosería de llamar a mi esposa por teléfono e insultarla. Considero que algo hecho contra mi esposa es algo hecho también contra mí». Acto seguido le exigía que pidiera disculpas bajo la amenaza de una ruptura de relaciones. Maneras de *gentleman* de las que Lenin nunca pudo deshacerse, ni siquiera en sus días de convalecencia. Stalin tuvo que pedir disculpas tragándose su orgullo, no sin asegurar que como militante que era del partido Krupskaia estaba obligada a seguir unas órdenes expresamente dictadas por el secretario general. Lenin intentó buscar la forma de que aquel incidente diera pie a la defenestración política de Stalin, pero no tuvo tiempo. Aquel mismo marzo de 1923 sufrió un nuevo colapso que le transformó, definitivamente, en un completo inválido. Desde entonces y hasta su muerte, en enero de 1924, su participación política fue nula.

La constitución que sancionaba legalmente el nacimiento de la Unión Soviética fue aprobada en vida de Lenin, con fecha 6 de julio de 1923, y aunque se puso en vigor de inmediato, no fue ratificada por el Congreso de los Soviets de toda la Unión hasta el 31 de enero de 1924. La piedra angular de todo el entramado constitucional era la formación de una nueva estructura política que, bajo la denominación de Unión de Repúblicas Socialistas Soviéticas (URSS), quería ser la representación de una libre federación de estados unidos por un sentido internacionalista común. Mientras la constitución de 1918 era un código legal

La propaganda soviética ensalzó al Lenin muerto como al mayor de los héroes del panteón comunista.

ruso que solamente incumbía a la RSFSR, la de 1924 es la primera de toda la unión, incluyendo a todas las repúblicas antes asociadas dentro de una única estructura político-administrativa, en pie de igualdad con la RSFSR. En este sentido, dio conciencia nacional y base a nacionalidades asiáticas que no estaban organizadas, convirtiéndose en una auténtica fábrica de naciones[80], al tiempo que cercenó las aspiraciones de otras, como fue el caso de Ucrania.

El 21 de enero de 1924 Lenin sufrió una nueva crisis de la que no salió. Causa de la muerte: infarto cerebral. Tenía cincuenta y tres años. Inmediatamente se comunicó el deceso al Kremlin, desde donde el secretario general puso en marcha el plan anticipadamente previsto para cubrir los funerales del jefe. Reunió a los miembros del Politburó[81], a excepción de

---

[80] Roy, Olivier. *La nueva Asia central*, Madrid, Sequitur, 1997.
[81] El politburó era el máximo órgano ejecutivo del partido, cuyos miembros eran seleccionados por el Comité Central y formaban parte de él.

Trotski, que se hallaba aquejado de una infección que lo mantenía temporalmente retirado. Había hablado por teléfono con Stalin afirmando que estaba dispuesto a acudir a Moscú desde Sujumi, en el mar Negro, donde se recuperaba de su enfermedad, pero este le tranquilizó asegurándole que no era necesario; que lo primero era su recuperación y que, además, no tenía tiempo material para llegar, puesto que las exequias se realizarían el día 26. Burda mentira. Se había acordado la fecha del 27 de enero para la celebración de una despedida faraónica muy del gusto de Stalin que incluyó solemnes cuadrillas de obreros en formación saludando al paso del ataúd y ululantes sonidos de sirena de fábrica y barcos. Los más cercanos colaboradores de Lenin llevaron a hombros el féretro. Solamente faltaba Trotski. Una clamorosa ausencia que le dejaba muy mal de cara a pretender reclamar la herencia política del finado. Trotski podía considerarse tan acabado como el que iba dentro de la caja.

El primer congreso del partido celebrado tras la muerte de Lenin se dio en mayo de 1924 y Krupskaia, fiel a los deseos de su marido, entregó las copias del testamento político a los miembros del Politburó. Stalin conocía el contenido de las cartas y estaba seguro de que podrían llevarle al precipicio político si se hacía todo lo que en ellas indicaba Lenin. Sin embargo, la primera decisión de Kamenev, Bujarin y Zinoviev fue no hacerlo público, ratificando así indirectamente a Stalin como secretario general. Bujarin y la *troika* consideraban que la prioridad en aquellos momentos era no dar cancha a Trotski, de quien creían que era el más capacitado para suceder a Lenin, lo que reforzó al grupo formado por Stalin, Kamenev, Zinoviev y ahora también Bujarin. Ninguno de los tres aliados de Stalin lo veía como un líder nato, y por supuesto creían que Lenin se equivocaba al considerarlo un sucesor serio al liderazgo del estado. En consecuencia, el testamento no se hizo público y el congreso siguió su curso normalmente[82]. Los resultados del mismo fueron definitivos para consolidar el dominio de los oficialistas, condenando a la facción trotskista como contrarrevolucionaria y solicitando expresamente el apartamiento de Trotski de la dirección del partido, lo que no se realizó hasta 1927. Un año más tarde, Trotski fue retirado de su cargo como comisario del pueblo. Ser sospechoso de simpatizar con Trotski era ya abiertamente peligroso, pero el inocente intelectual no cambió su estrategia de criticar las actuaciones del gobierno, quejándose del rumbo que tomaban los acontecimientos, del crecimiento de la burocracia y del riesgo de fosilización de la revolución en un solo país, amén de que terminaran confundiéndose los intereses de Rusia con los del socialismo. Trotski hablaba francamente sin darse cuenta de que todo el mundo temía a la *troika* y de que nadie se arriesgaría por defenderle llegado el momento. Acusó a los militantes del partido de tener miedo a debatir: «Lo que los líderes de la facción gobernante entienden por unidad del partido es esto: "No te atrevas a criticar nuestra política; no te atrevas a plantear nuevas tareas o nuevas preguntas sin nuestro permiso"», dijo. Se quejaba del ambiente enrarecido e irrespirable que se había formado dentro del partido, mientras los trotskistas eran tratados como un peligro para el estado y la revolución. Acorralados y sin fuerza los trotskistas, en otoño de 1924, Stalin se volvió contra Kamenev y Zinoviev, apoyado por Bujarin. En 1925 Kamenev y Zinoviev, al verse difamados directamente por Stalin, buscaron el apoyo de Trotski. Esta acción certificó la desaparición política —y después física— de ambos

---

[82] El testamento político de Lenin no vio la luz hasta el año 1956, cuando Krushev difundió su contenido como uno más de los elementos del proceso de desestalinización de la URSS.

personajes. Fueron considerados desviacionistas y trotskistas, una acusación que se iba a repetir injustificadamente contra miles de personas durante toda la etapa de gobierno de Stalin. En diciembre de 1925, durante la celebración del XIV Congreso del Partido, volvieron a ser tachados de disidentes, faccionalistas y trotskistas, lo que ya empezaba a ser una acusación abierta. En 1926 Stalin se apercibió de que la viuda de Lenin simpatizaba con Kamenev y Zinoviev, afirmando de ella con rabia que «Krupskaia es una secesionista. Necesita realmente que se la castigue por secesionista si queremos conservar la unidad del partido»[83]. En 1927 Trotski, Zinoviev y Kamenev fueron apartados del Comité Central. El 14 de noviembre del mismo año, Trotski y Zinoviev sufrieron la expulsión del partido, y en diciembre, el XV congreso ratificó estas expulsiones y setenta y cinco más, entre ellas la de Kamenev. Libre de cualquier oposición, el binomio Stalin-Bujarin no tardó en romperse[84] para dejar vía libre al poder omnímodo que a partir de entonces iba a ejercer Stalin con puño de hierro. Como había predicho Lenin, la victoria final de Stalin daba paso a una larga era de despotismo.

---

[83] Como viuda del gran líder, Nadia Krupskaia fue tratada oficialmente con los respetos y honores merecidos. Sin embargo, de puertas del partido para adentro, sufrió una grave campaña de difamación organizada por Stalin, que temía que hablara más de la cuenta. Krupskaia vivió sus últimos años severamente controlada por la policía política.

[84] Trotski fue deportado a Siberia en 1928 y finalmente expulsado de la URSS. Kamenev, Zinoviev y Bujarin no tendrían tanta suerte, siendo finalmente ejecutados durante las famosas purgas de Stalin. El año 1940, Trotski fue asesinado en su exilio mexicano por un agente de Stalin.

Bibliografía

CARR, Edward Hallet. *Historia de la Rusia soviética, tomo I: La revolución bolchevique*. Madrid: Alianza, 1974.

CARR, Edward Hallet. *La revolución rusa: de Lenin a Stalin*. Madrid: Alianza, 1985.

FERRO, Marc. *La revolución de 1917*. Barcelona: Laia, 1975.

FIGES, Orlando y KOLONITSKII, Boris. *Interpretar la revolución rusa*. Madrid: Biblioteca Nueva, 2001.

FIGES, Orlando. *La revolución rusa, 1891-1924*. Barcelona: Edhasa, 2000.

FURET, François. *El pasado de una ilusión: ensayo sobre la idea comunista en el siglo XX*. Madrid: Fondo de Cultura Económica, 1995.

HOBSBAWN, Eric J. (dir) *Historia del marxismo*. Barcelona: Bruguera, 1983.

KOLAKOWSKY, Leszek. *Las principales corrientes del marxismo*. Madrid: Alianza, 1983.

LEWIN, Moshe. *El último combate de Lenin*. Barcelona: Lumen, 1970.

SCHUJMAN, Héctor. *La revolución desconocida: Ucrania, 1917-1921*. Móstoles: Nossa y Jara, 1999.

SERVICE, Robert. *Camaradas: breve historia del comunismo*. Barcelona: Ediciones B, 2009.

SERVICE, Robert. *Lenin: una biografía*. Madrid: Siglo XXI, 2001.

TROTSKI, León. *Historia de la revolución rusa*. Madrid: Veintisiete Letras, 2007.